一起
離開地球
上太空！

ARRC自製火箭

── 獻給 ARRC 全體，曾經及現在仍一起做夢的傻子們 ──

交通大學

吳宗信教授‧周子豪‧賴冠融‧陳瑞祥‧沈柏村‧莊康旻‧魏世昕‧林哲緯‧楊奇融‧張皓閎‧陳世烈‧Rahman Hakim‧黃珮芳‧簡煜軒‧賴俊旭‧劉育霖‧涂昀朋‧曾郁智‧黃振瑋‧蕭駿平‧劉志東‧蘇仁寶‧洪捷粲‧王亭浩‧蘇正勤‧柳志良‧朱志雄‧王翠華‧劉惠云

陳宗麟教授‧鄭竣吉‧鄭睿群‧廖文選‧王柏翔‧曹修銓

屏東科技大學

胡惠文教授‧呂瑋峻‧王桀民‧王曜呈‧陳庭維‧陳庭育‧吳品聰‧黃詮峻‧楊智煒‧宋俊卿‧涂明煥‧施乃華

成功大學

何明字教授‧高碩聰‧趙冠舜‧黃彥翔‧王翊‧陳瑞文‧黃建琛‧蕭景隆‧許智韋‧蕭家豪‧王俊諺‧王冠文‧陳煥升‧林子欽‧楊宗諭‧柯俊廷‧李岳翰‧簡誌佑‧鄭文勝‧周聖儒‧陳奕隆‧林柏瑋‧范文宣‧許志源‧邱萬鍾‧簡彰億‧范意芳‧鍾東霖‧陳之凱‧吳昭儀‧劉紘旭‧陳侑新‧鄭詠全‧盛首鳴

台北科技大學

林信標教授‧張競仁‧蔡邦均‧黃騰毅‧劉訓彰‧陳秉榮‧羅郁靖‧林耀隆

銘傳大學

余仁朋助理教授‧羅侑妤‧鍾聖彥‧余致緯‧林方翔‧張威強

海洋大學

黃俊誠副教授‧李曼珺

國家太空中心

陳彥升博士‧張浩基博士‧連又永博士‧吳明仁博士‧林辰宗‧陳忠霖‧劉人仰

攝影紀錄

江志康

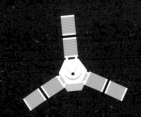

發射台灣的太空夢想。

ARRC 創辦人 | 交通大學特聘教授　吳宗信

對著星星滿天的夜空，你想到什麼？當好奇號、太空梭、太空站等開始宇宙探索，你想到什麼？當大大小小的人造衛星在遙遠的太空軌道運行，你又想到什麼？

對一個因緣際會而踏入太空科技研究領域的中年阿伯來說，這些想像與觀察激勵了永無止境的太空夢。夢想孵芽了很久，終於孵出明確座標：「ARRC」。這是 Advanced Rocket Research Center 前瞻火箭研究中心的縮寫，2012 年六月在國立交通大學創立，由私人與企業捐款贊助經費，目標是由台灣自主研發、製造運載火箭，把人造衛星運送到太空軌道。

由台灣自力研發火箭的構想早在 2008 年因另一火箭計劃中止就已著手進行初期研發，2012年創設 ARRC 之後，台製火箭的夢想一步一步實現。這本書以 ARRC 的研發歷程為主軸，介紹火箭相關知識。

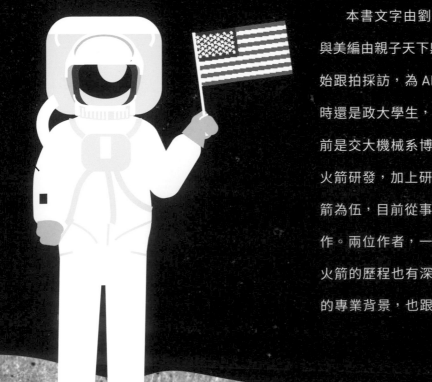

本書文字由劉珈均、魏世昕合力完成，插畫與美編由親子天下鼎力協助。劉珈均從 2013 年開始跟拍採訪，為 ARRC 團隊寫了三篇報導，她那時還是政大學生，目前是自由撰稿人。魏世昕目前是交大機械系博士班學生，就讀大學時就投入火箭研發，加上研究所期間，前後長達九年與火箭為伍，目前從事的也是火箭相關領域的研究工作。兩位作者，一位有文字功力，對 ARRC 自製火箭的歷程也有深入參與；一位有火箭研發製造的專業背景，也跟著 ARRC 一路走來；這本書在

他們和插畫家、美編的合作下，圖文並茂，深入淺出，是一本極為生動有趣的科普書，很適合親子共讀。

　　科普作品大都以書本、紀錄片、雜誌文章、網路做為媒介，台灣科普書籍又以外文翻譯作品佔大部份，由國人撰寫而且描述這片土地發生的故事的不多；由國人撰寫，並以兒童、少年為對象的科普書，更屬少數。本書的出版，讓火箭科技不再是艱澀難懂、難以親近的天書，對科普的推廣，對火箭興趣的引發，都讓人寄予厚望。

　　ARRC 自 2012 年成立以來，藉由火箭飛行測試活動、臉書、航太展、創意與科技的展覽、群眾募資以及媒體批露，讓火箭與社會大眾有更廣的連結。做為 ARRC 創辦人，尤其感謝親子天下出版社製作出版本書，衷心期望《ARRC 自製火箭》可以蘊育更多小孩心中的太空夢。

　　讓我們前進宇宙，一起離開地球上太空吧！

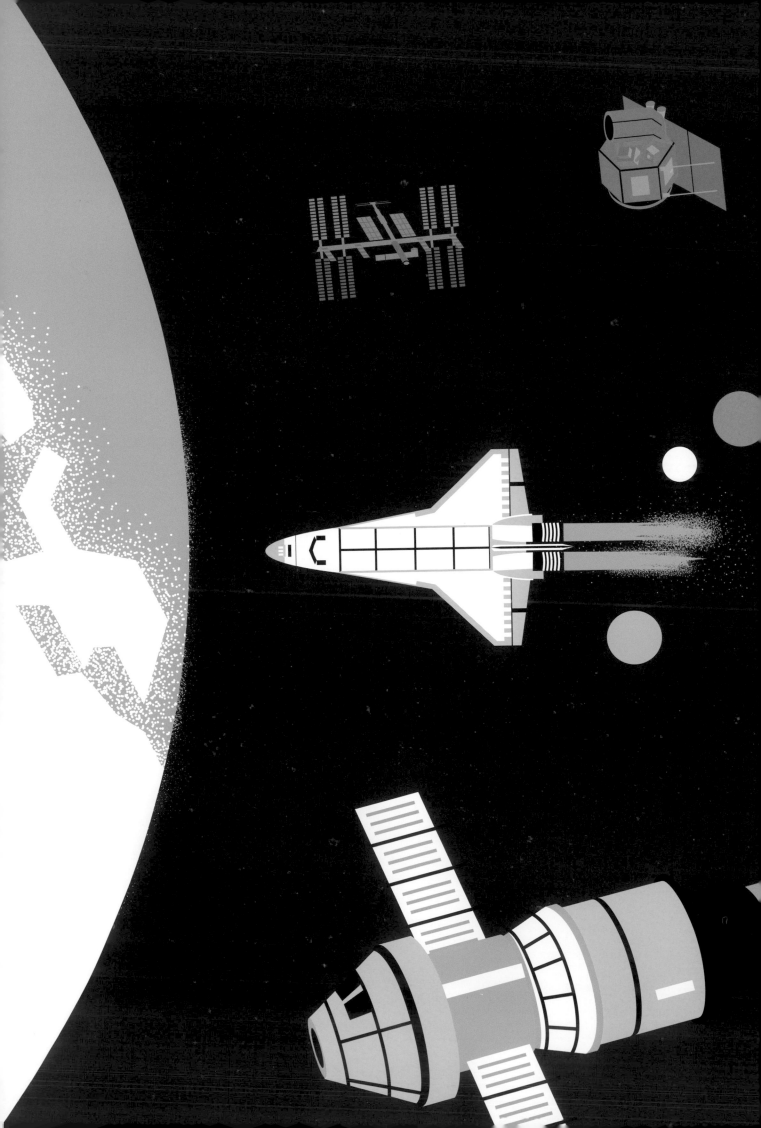

超科小劇場
這是一個自找麻煩的故事

新竹 香山濕地

大叔，雖然你說不是，但怎麼看都像超大根的沖天炮啊！

哈哈，或許很接近，但目的可是不一樣喔。

不過比人還高，也真是不小呢。

不，這只是小型火箭喔。

咦？

我先介紹一下，我是交大機械系教授吳宗信。我們是前瞻火箭研究團隊ARRC（Advanced Rocket Research Center）。是由交通大學、台北科大、成功大學、屏東科大、銘傳大學、台灣海洋大學等六校的成員組成的。

起初只是一群師生聚在一起研究火箭，結果火箭愈作愈大，也愈來愈複雜。

火箭的構造非常複雜，不論是火箭本身零件運轉或是氣候天象，

稍有疏忽都可能是致命傷，所以千萬不能大意。

嗯，記得1986年美國挑戰者號發射時，也是因為一個小O環失效，造成升空時結構被破壞，所以整個火箭在空中解體爆炸呢。

這麼危險啊？我以為射上去很簡單呢。

仁傑你是笨蛋嗎？這可不是沖天炮射上去炸掉就好了。

穩定的發射升空才是目的啊。

因為這種牽一髮動全身的特性，先前我們團隊也發生過因為螺栓沒有斷開，導致分節失敗、或是降落傘未開、甚至螺絲故障而火箭未升空的狀況。

所以我們每次發射任務都會再三確認。

為什麼這麼堅持要發射火箭呢？

唔哇！竟然會這麼嚴重！

為了完成讓台灣本土火箭飛上太空的夢想呀！

咦？

飛上太空？

這幾位也是我們團隊成員，這幾年的成果也要感謝他們呢。

幾年前我們發射的大型火箭HTTP-1的飛行高度到達8公里的高空，後來HTTP-3S射程也超過10公里。

HTTP-1

HTTP-3S

而我們的目標就是...

要讓我們新的HTTP-3火箭...

衝上100公里的太空！

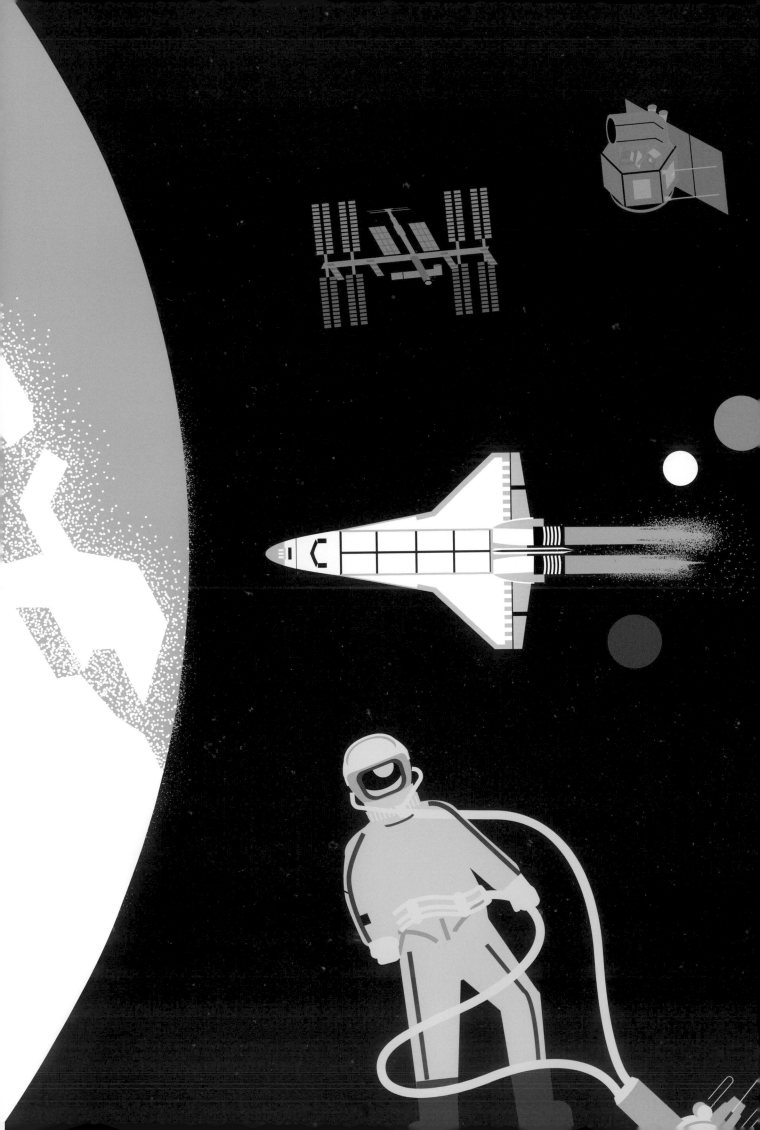

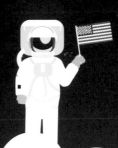

關於火箭，
你要先知道的事

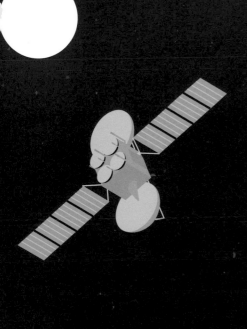

火箭時光旅程

人類上太空的狂想，中古世紀便已經開始。現代火箭的起源可追溯自中國。火藥是中國古代四大發明之一，將火藥填充進竹筒中，綁上箭、矛之類的利器，就變成火砲武器。到了近代，火箭有了更大的發展，這中間是經過許多具有偉大想像力的科學家與研究者們的努力，究竟人類飛向太空的夢想是怎麼實現的？讓我們一起來看看！

史波尼克 1 號

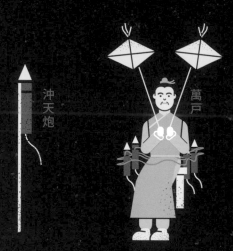

沖天炮

萬戶

齊奧爾科夫斯基

戈達德

V2

馮布朗

科羅列夫

宋朝	明朝	停滯期	蘇聯	美國	德國	蘇聯
1350	**1500**		**1903**	**1920**	**1937**	**1957**
火箭的祖先	升空先驅		火箭之父	火箭實驗	火箭？飛彈？	人造衛星發射

宋朝火箭兵器普遍應用在戰爭，原理跟現在的火箭似。小時候常玩的沖天炮，裡頭填充火藥，也算是一種型態簡單的「固態燃料火箭」。

相傳中國明朝官吏萬戶將自己綁在椅子上，兩手各抓一個大風箏，同時點燃 47 支煙火，想把自己發射到月球。

俄國 齊奧爾科夫斯基（Konstantin E. Tsiolkovsky）發表利用反作用力裝置前往太空的論文。

美國科學家戈達德（Robert Hutchings Goddard）發表論文《到達極高的方法》，1926 年發射第一枚液態燃料火箭。

德裔火箭工程師馮布朗（Wernher von Braun）為納粹做出世界上第一枚彈道飛彈「V2 火箭」。

蘇聯發射第一顆造衛星「史波尼克號（Sputnik）」，約 500 公里高空地球發射無線電號，每 96 分鐘繞球一圈，科羅列夫是幕後推手。

太空競賽

1958 年，美國成立航太總署 NASA，每年投入火箭的製造成本超過十億美金，美蘇長達 18 年的太空競賽就此開展。

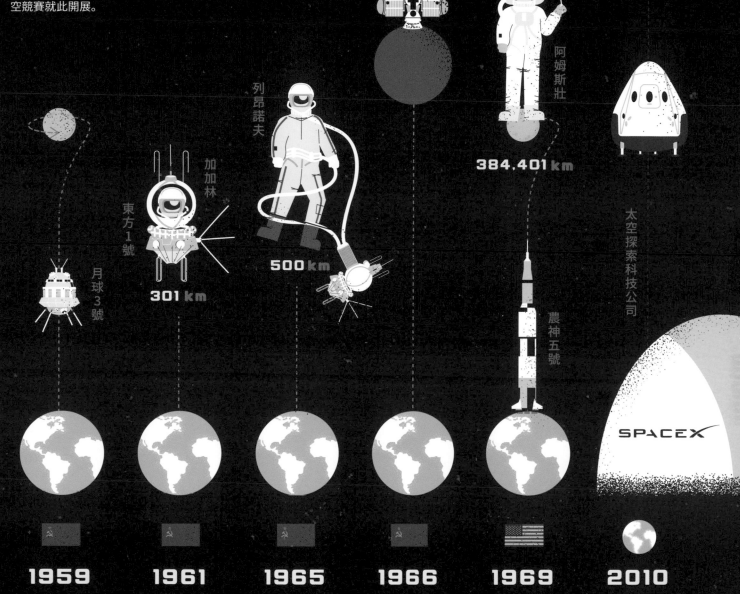

金星 3 號

阿姆斯壯

384,401 km

列昂諾夫

太空探索科技公司

東方 1 號

加加林

500 km

301 km

月球 3 號

農神五號

SPACEX

1959	1961	1965	1966	1969	2010
繞月飛行	人類第一次上太空	人類第一次太空漫步	人造物體第一次登陸外星球	人類登月	自製火箭啓動

1958 ———————————————————————————— 1976 — — — — — —

蘇聯探測器繞月飛行，拍下以往觀測不到的月球背面照片。

蘇聯送上了第一位太空人加加林（Yuri Gagarin）乘坐東方一號，繞地球一周並成功往返。

蘇聯太空人列昂諾夫（Alexei Leonov）完成人類第一次太空漫步，為時 12 分鐘。

蘇聯探測器金星 3 號成功登陸金星（但無法傳回數據）。

阿波羅 11 號載著阿姆斯壯、艾德林踏上月球，當時發射的「農神五號（Saturn V）」仍是目前記錄最大型、威力最強的火箭。

太空探索科技公司（Space X），朝向打造低價、快速的太空發射服務，並接下國際太空站補給任務，最終希望實現載人上火星。

火箭簡史

火箭的祖先：沖天炮

　　現代火箭的起源可追溯自中國。火藥是中國古代四大發明之一，加工一下就變成火砲武器：將火藥填充進竹筒中，綁上箭、矛之類的利器。點火後火藥在筒中燃燒，產生大量氣體高速噴射，這額外的推力讓武器更具殺傷力、射程更遠，這就是現代火箭的雛形。小時候常玩的沖天炮，就算是型態簡單的「固態燃料火箭」了！

　　到了元、明兩代（約 13、14 世紀），火箭兵器普遍用在戰爭中，甚至發展出兩節式點火、接力飛行的設計（現代火箭也會脫節，一邊飛行一邊脫離不必要的部分，以減輕重量飛得更高），火砲技術也從中國傳入印度、阿拉伯國家、最後傳到歐洲。

火箭狂想曲

● 升空先驅：萬戶

　　人類上太空的狂想，中古世紀便已開始。傳說中國明朝官吏萬戶將自己綁在椅子上，兩手各抓一個大風箏，命令 47 個僕人同時點燃 47 支火箭（古代的煙火，類似今日的沖天炮），想把自己發射到月球。他構想的噴射推進原理其實沒錯，但結構強度實在太差了，隨著一陣劇烈爆炸，萬戶與他的飛天座椅一起灰飛煙滅。

傳說中的首位「太空人」

　　關於萬戶的傳說眾說紛紜，但這個傳說實在太迷人了，知名的電視節目流言終結者更專門製作一集節目「明朝的太空人（Ming Dynasty Astronaut）」，實際還原萬戶傳說，實驗結果發現將煙火綁在椅子上，根本沒辦法讓椅子離地。儘管如此，月球背面有個直徑 53 公里的隕石坑，就以這傳說中世界首位「太空人」命名為「萬戶坑（Wan-Hoo）」。萬戶坑面積大約比台北市大十倍，跟台南市差不多大。（萬戶坑 2106.75 km²、台北市 271.8 km²、台南市 2192 km²）

● 書房裡的火箭之父

　　由於人類對化學、機械技術、流體力學等知識不足，火箭維持在戰爭與煙火觀賞用途達幾百年。直到 20 世紀，俄國中學教師齊奧爾科夫斯基（Konstantin E. Tsiolkovsky）在 1903 年發表了利用反作用力裝置前往太空的論文，推導出火箭方程式，被稱為俄國火箭之父。他計算出升空速度達秒速 8 公里（相當於時速 28800 公里、比台灣高鐵快 91 倍），就能「逃離」地心引力的束縛、進入太空或繞地軌道。

　　齊奧爾科夫斯基在幼年時期罹患猩紅熱而耳聾，生理障礙與冷僻的研究主題使他遠離人群。他兼具嚴謹個性與天馬行空的想像力，提出以火箭發射人造衛星、利用太陽光的光壓加速探測船的太陽帆構想，還描繪了多節火箭、人造衛星、太空城、太空電梯等未來藍圖，不少科技在今日已一一實現。他沒有動

手製作過火箭，但推演了實用的火箭理論，一生寫下七百多篇科學論著。他於 1935 年逝世，而史上第一顆人造衛星剛好在他誕生一百周年升空。

● 後院裡的火箭實驗室

那個時代，大眾視「太空旅行」為無稽之談，但美國科學家戈達德（Robert Hutchings Goddard）愈思考愈覺得它可行，自行在學校地下室或住家做爆炸實驗，1920 年他整理成論文《到達極高的方法》，闡述數學計算、實驗結果、討論多節火箭，不料，他卻被當成古怪的「月球狂」，《紐約時報》甚至評論他「缺乏高中程度的基礎知識」。戈達德繼續實驗，只是不願主動分享研究。他得出，使用液態燃料才有足夠推進力到達太空，1926 年他在阿姨的農場上，讓第一枚液態燃料火箭以時速 103 公里飛上 56 公尺高，全程 2.5 秒，這場發射像放個沖天炮，且再度引來誤解，還被禁止在自己家鄉麻州實驗。多年後回首才發現它是重要里程碑，現在運送大型衛星入軌全仰賴液態燃料技術。

戈達德實驗漸入佳境，火箭裝上了穩定方向的陀螺儀、降落傘，也能飛上幾公里高度。他曾向軍方介紹自己的研究，但美國沒看到火箭的重要性，倒是德國人一直寫信刺探，他的成果影響了德國火箭科學家如奧伯特（Herman Oberth）、馮布朗等人。戈達德終生是個孤獨的研究者，時常為有限的時間與資金牽制，他逝世十年後，火箭科技如他預言，變成大國競爭主軸。戈達德生前身後共獲得兩百多項專利，後來絕大多數火箭都用到他的技術，也確立其先驅地位。

1969 年阿波羅 11 號飛往月球後，《紐約時報》刊登一則更正啟事，收回半世紀前對戈達德的評論，並向戈達德致歉。

一起嚮往天空的夥伴

戈達德一次次發射引起一些知名人士注意，完成首次單人不著陸橫越大西洋的傳奇飛行員林白就是其中一個，同樣嚮往天空的林白與戈達德結為好友，林白並利用自身名氣與人脈，找了著名的古根漢家族資助戈達德，火箭研究才得以持續。林白比戈達德年輕 20 幾歲，戈達德過世後，林白持續見證了美國發展火箭的歷程。

林白曾經回顧：「1929 年，坐在戈達德位於烏斯特的家裡，我傾聽他描畫他未來發展火箭的想法——有些是實務上可行的，有些是未來終會達到的，三十年後，在目睹巨大火箭由空軍基地卡納維爾角起飛的瞬間，我不曉得是他當時在做夢呢？還是我現在在做夢？」

人類的飛行大夢 -- 熱氣球、飛船到民航機

　　人類飛行歷史距今只有兩百多年，熱氣球在 19 世紀曾有段輝煌時期，在那個鐵路尚處初期階段、汽車和飛機未發明的年代，飛行氣球是帶著科學家攀升高空、穿越荒野考察的最佳工具，更有馬戲團用熱氣球吊掛舞台，將馬術、舞蹈特技搬到半空中表演，提供精采的感官娛樂，民間屢屢引發氣球熱潮。

　　氣球無法控制方向是一大缺點，但控制方向所需的推進力遠超過人類或動物的力量，直到 1850 年出現夠輕、動力又夠大的熱力或電力引擎後，才改良出可以控制航向、逆風而行的飛船。

　　當時科學家對「理想的人類飛行器」樣態有各種想法，有人致力改進飛船性能，另一派則朝向發明「比空氣重的飛行工具」，催生以螺旋槳為主的各種設計。許多人競逐發明飛機，「控制」仍是一大難題，滑翔機不具動力、無法持續飛行，有引擎動力的飛機不是飛不遠就是墜毀，1903 年萊特兄弟「飛行者一號」飛了 59 秒、296 公尺，被視為第一次可控制的動力飛行（不過萊特兄弟對研究相當低調，為避免被抄襲而不願即時將研究細節公諸於世，這歷史性的一刻也只有五人親眼見到，直到 1942 年才獲公認）。

　　1909 年世界上第一家航空公司「德意志飛船運輸公司」成立，以齊柏林飛船作為航空運輸工具，1937 後飛船運輸產業沒落，被民航機取代（早期乘客很少，航空服務多運送貨物或郵包）。而在飛機已漸漸商業化的時候，火箭工程師還在絞盡腦汁征服地心引力。

一飛衝天的火箭技術

● 火箭？飛彈？

　　大西洋另一岸也有人懷著太空旅行的夢想，同樣傾全力研究火箭。德裔火箭工程師馮布朗（Wernher von Braun）與蘇聯科學家科羅列夫（Sergei Pavlovich Korolev）接棒將人類的太空飛行寫進歷史。探空火箭與飛彈只有一線之隔，前者運載科學儀器，後者運載火藥。馮布朗與團隊為納粹製作出世界上第一枚彈道飛彈「V2火箭」，意為復仇者，此液態燃料火箭能運送一公噸重的彈頭、瞄準轟炸 260 公里之外的敵營，為二戰時德國攻擊英國的主力。戰後美國與蘇聯瓜分德國火箭基地的研究、器材、技術人員，日後美蘇的大型火箭皆傳承自 V2（繼續溯源，V2 其實與戈達德的火箭設計雷同）。

● 人造衛星

　　1957 年秋天，蘇聯發射世界第一顆人造衛星「史波尼克 1 號（Sputnik）」，震撼了全世界！這顆長了四根細長天線的金屬球在約 500 公里高空對地上的人們閃爍光點，發射無線電訊號，每 96 分鐘繞地球一圈。緊接著一個月，史波尼克 2 號載著小狗萊卡（Laika）升空，兩顆衛星分別在天上繞行 3、5 個月，返回地球時燒毀於大氣層中。

● 太空競賽

　　時值美蘇冷戰，看蘇聯如此得意，美國大受衝擊，也深覺國防威脅，聯邦政府立即投下鉅額經費、成立航太總署 NASA，政府所轄實驗室有 8000 位人員移至 NASA 上班，軍事部門的太空計畫也移交給它，每年投入火箭的製造成本超過十億美金，一切只為迎頭趕上，美蘇長達 18 年的太空競賽就此開展。

　　蘇聯搶先發射第一顆人造衛星後，在太空競賽接連痛擊美國，例如：

　　▪ 1959 年探測器繞月飛行，拍下以往觀測不到的月球背面照片〔因為月球自轉與繞地公轉周期相等、且皆為逆時針轉動，導致月球以同一面朝著地球。〕

　　▪ 1961 年送第一個太空人加加林（Yuri Gagarin）繞地球一周並成功往返——這讓美國總統甘迺迪急了，提出十年內登月的龐大目標；

　　▪ 1965 列昂諾夫（Alexei Leonov）完成人類第一次太空漫步，為時 12 分鐘；

　　▪ 1966 年探測器成功登陸金星（但無法傳回數據）等等。

　　史波尼克一號升空後，美國急起直追，終於讓馮布朗領導太空計畫。蘇聯一再領先、甘迺迪的大目標，在在對團隊造成巨大壓力，但也只能循序漸進，水星計畫搭載單人到地球軌道；雙子星計畫搭載雙人，在地球軌道上演練了太空漫步、太空船接合等技術；阿波羅計畫原定延續水星計畫，因甘迺迪而把目標改成登月，承接、整合所有科技。

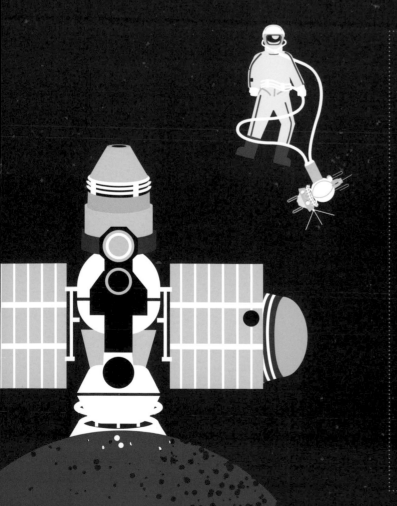

戰爭陰影下的火箭科技

　　蘇聯在太空競賽中的這些驚人成就，大多要歸功蘇聯的首席火箭科學家科羅列夫，他早年結識了齊奧爾科夫斯基，參與火箭研究，並成立俄國第一個火箭研發中心，但 1938 年卻在史達林可怕的「大整肅」運動中被迫害、流放，他在關押的六年期間協助研發火箭助推器而獲提前釋放。後來他以 V2 火箭為藍本，改良後的飛彈射程比 V2 強好幾倍，但他的志向一樣在太空，蘇聯與美國的競爭氛圍讓他得以說服高層，讓火箭的瞄準方向由炸毀敵國轉向太空。

　　1945 年二戰結束時，英、法、美等國都想把研發 V2 火箭的科學家帶回自己國家，科羅列夫也曾奉命到德國找出這些人，只是馮布朗早一步向美國投降，美方把馮布朗連同一百多位研究員和 14 噸的研究文件帶回去。不過，前納粹身分讓他們極具爭議，最初五年他們生活與外界隔絕，行動受監視。

　　蘇聯對科羅列夫的資訊也保密到家，連蘇聯的太空菁英都不見得聽過他全名，提到時只叫他名字縮寫「SP」或「首席設計師」，直到他過世之後才為人所知。

● 人類的一大步

1969 年阿波羅 11 號載著阿姆斯壯、艾德林飛行
四天，踏上月球表面的「寧靜海」，美國終於一舉超
越蘇聯，當時太空人搭乘的火箭「農神五號（Saturn
V）」仍是目前記錄最大型、威力最強的火箭，這巨獸全
長達 110 公尺，分三節，能載送 47 噸的酬載到月球。阿波羅計
畫是太空時代的巔峰，後來農神五號第三節還改裝為「太空實
驗室（Skylab）」，是世界第二個運作良好的太空站，這研究
站繞著地球轉了六年，進行各種微重力狀態的研究——太空食
物、太空人怎麼洗澡等都是實驗題目！只可惜甘迺迪在 1963 年被
暗殺，未能見到登月實現。

美國共有六次任務、12 位太空人登陸月球表面，不過，載人往返的
太空旅行成本高昂（阿波羅計畫足足耗費 250 億美金），無人探測器與太空望遠鏡
同樣能取得豐富成果，1972 年後便終止登月計畫，迄今沒有其他載人飛行器離開過
地球軌道。後來 NASA 也改變方向，將研發一個巨型任務的資源拆成推動多個小
型自動化任務。

小說、太空、遊樂園

齊奧爾科夫斯基、戈達德、奧伯特、馮布朗都算是法國小說家儒勒·凡爾納
（Jules Verne）的「粉絲」，他們都深受凡爾納《從地球到月球》影響。凡爾納被
譽為科幻小說之父，他的小說融合當時最先進的科學知識，知名作品包括《地心歷
險記》、《環遊世界 80 天》、《海底兩萬里》等。

這些科學家受到小說影響，實現了他們的太空夢，也幫助迪士尼建構他的太空
遊樂園。在迪士尼心中有四個王國，其中一個是「明日世界（Tomorrowland）」，
他本來對於未來沒什麼概念，馮布朗在《科瑞爾雜誌》（Collier）寫的一系列太空
探索文章引起迪士尼的興趣，決定在他大受歡迎的節目中，將太空定為「明日世界」
單元的主題。根據書中描述，迪士尼一早進辦公室說：「我們就照這個進行，明日
世界中不該有科幻的東西。這些人應該知道要怎麼辦，我們去把他們找來，讓他們
也加入。」真實的迪士尼樂園內也有一個太空風情的「明日世界」主題園區。

1954 年起，馮布朗在火箭研發工作之外，抽空到加州迪士尼公司攝影棚擔任顧
問，協助迪士尼的藝術家、製作人們將太空之旅呈現在電視上，當中有完整的火箭
模型、人們在微重力狀態中太空漫步的動畫，自己也跟著成為家喻戶曉的電視明星。

● 不再遙遠的太空夢：Space X 的自製火箭

不過，在某些人眼中，這成本還是太龐大，還有沉重的官僚包袱，人類應該可以更輕便的進入太空，太空探索科技公司（Space X）就這樣誕生了。

企業家伊隆・馬斯克（Elon Musk）創立了好幾家科技公司：研發電動車的特斯拉、太陽能、高速列車、線上支付網站，電影《鋼鐵人》就以他為原型。馬斯克的夢想非常遠大──在火星建造基地，讓人類成為星際公民。馬斯克創立 Space X，投入建造火箭，從無到有自力研發零件與系統，想打造出低價、快速的太空發射服務，再慢慢實現火星計畫。

自己研發火箭總少不了各種爆炸、修正等等無止境折磨意志力的過程，Space X 也沒少過，問題總是從意想不到的細節冒出來，導致發射失敗或必須延期，財務狀況也扯後腿，公司差點倒閉。Space X 撐下來了，公司成立六年後首度成功試射獵鷹 1 號，更在 2016 年成功完成世界首次海上平台火箭回收──過去火箭將衛星或太空艙射上天際後，就直接掉落海裡，可以回收重複使用的話，不僅是技術大突破，還能降低成本。

距離地球 400 公里高的近地軌道上，國際太空站（International Space Station）每 90 分鐘繞地球一圈（上面的太空人一天看 16 次日出日落！），駐站值班的太空人利用特殊的微重力環境進行各種研究。自從美國最後一艘太空梭在 2011 年退役，太空人上太空都必須借助俄羅斯的太空船聯盟號（Soyuz），NASA 打算將發射任務移轉給民間企業，在幾家相互競爭的火箭公司當中，只有 Space X 的天龍號太空船能補給物資到國際太空站並安全返航。而台灣預計今年（2016）發射的自製遙測衛星「福衛五號」將委託 Space X 的獵鷹 9 號發射。

火箭發展由煙火觀賞、戰爭用途延展為軍事競賽、科學研究、太空旅遊，科技的用途反映人類文明的腳步。齊奧爾科夫斯基留下名言：「地球是人類的搖籃，但是人類不能永遠生活在搖籃裡，要小心翼翼的穿出大氣層，征服太陽系。」說征服或許太過狂妄，渴望向外探索的根源其實是為了了解自己。

圖解太空

卡門線
100 km
⟷
太空與地球分界線

探空氣球
50 km

探空火箭
50-300 km
不能載衛星入軌，只能回傳即時觀測
資訊，升空到落地全程 300~1000 秒

■ **火箭基地地點**

沙漠　〜〜 海洋

■ **火箭運載能力**

■ **火箭發射方式**

陸　海　空

小型火箭
2000kg

中型火箭
2000-5000kg

■ **火箭燃料分類**

固態　液態　混合

中大型火箭
5000-11300kg

重型火箭
11300kg

火箭小知識 1

火箭一秒有多快？

每秒
7.9 km
第一宇宙速度
進入地球繞行軌道

每秒
11.2 km
第二宇宙速度
脫離地球重力

地球同步軌道
36000 km

中地球軌道
1400-36000 km

地球軌道
0-1400 km

國際太空站
400 km

GPS衛星
20200 km

通訊、
氣象衛星

福衛二號
891 km

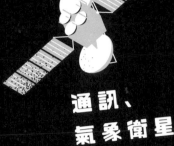

探測器

飛掠、繞行或著陸外
星球探測的工具。

太空梭

有羽翼的太空船，結
合飛機與太空船的特
質，能往返地球和太
空之間、重複使用。

太空船

載送人類飛越太空的
交通工具統稱太空船。

漫遊車

太空探測任務中，可
在其他星球表面移動
的交通工具。

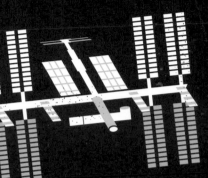

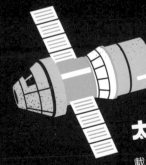

每秒
16.7km

第三宇宙速度

擺脫太陽重力

火箭小知識 2　　火箭發射倒數起源

 SEC

現今火箭或太空船發射前夕，倒數「10~0」已成必備儀式，
而開創的是德國導演弗列茲·朗（Fritz Lang），在 1929 年所
拍攝的的黑白電影《月亮上的女子》中的橋段而來。

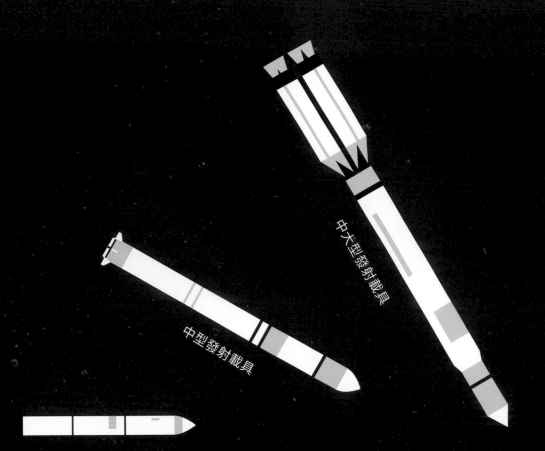

中大型發射載具

重型發射載具

中型發射載具

小型發射載具

太空基本概念

● 火箭

火箭的分類方式可以依據燃料、發射方式與運載能力來區分。

‧依據燃料：大致分成固態燃料火箭、液態燃料火箭、混合式燃料火箭。

‧發射方式：陸射、海射、空射。

‧運載能力：

分類	低地球軌道運載能力
次軌道火箭	無能力將任何質量酬載送入軌道
小型發射載具	5000 磅（2273 公斤）以下
中型發射載具	介於 5001 磅（2274 公斤）與 12000 磅（5454 公斤）
中大型發射載具	介於 12001 磅（5455 公斤）與 25000 磅（11363 公斤）
重型發射載具	25001 磅（11364 公斤以上）

（資料來源：太空中心）

● 探空火箭

探空火箭不能載衛星入軌
（屬於上表說的「次軌道火
箭」），探空火箭射至上百公里
的高空後，把握置身天際的時
間，打開鼻錐罩、啟動儀器，記
錄、回傳即時觀測資訊，而後落
回地表，全程只有 300~1000 秒
（5~16 分鐘）。探空火箭通常為拋棄式，不回收，這些探測資料更顯得珍貴。

目前主要有四種太空科學研究的工具，依高度區分為：地面觀測設備、探空氣球、探空火箭與
人造衛星。50 公里以內的地球大氣層交給探空氣球；50~300 公里之間的探測範圍適合用探空火箭；
300 公里以上的太空探測幾乎全由人造衛星執行。發射一顆人造衛星成本約新台幣 30 至 40 億，基
於成本考量，成本 1000~2000 萬的探空火箭是各國探測時最佳選擇。不過，未來的微衛星極有可能
在 100~300 公里處運作，成本也相當低，或許未來能與探空火箭相輔相成。

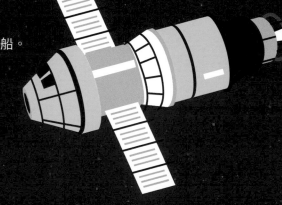

● 太空船（Spaceship）

載送人類飛越太空的交通工具統稱太空船。

● 太空梭（Space Shuttle）

有羽翼的太空船，結合了飛機與太空船的特質，能往返地球和太空
之間、重複使用。發射時仍須靠火箭的力量，但返航時可靠自身動力飛
回機場，不必像以前靠降落傘吊著返回艙降落海裡，再派海軍把太空人
撈起來。

美國的太空任務因花費鉅額而飽受批評，當時認為拋棄式使用的
火箭和太空船是太空計畫要花大錢的原因。阿波羅系列任務結束後，
NASA 便計畫發展可回收的發射載具以降低成本，陸續完成哥倫比亞
號、挑戰者號、發現號、亞特蘭提斯號、奮進號。然而，事與願違，太
空梭計畫的初衷是為了省錢，但太空梭每次飛行後的保養維修非常耗事
又費時，發射次數也遠不如預期（原定每年發射 50 次，結果頂多每年
發射十次），效益甚至比原本用拋棄式火箭還差，太空梭的成本更昂貴。

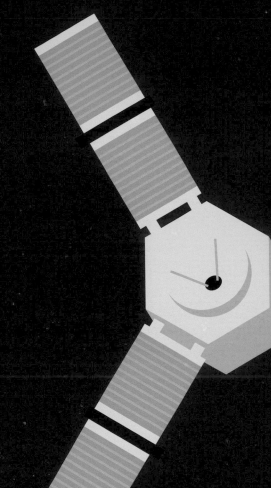

● **探測器（lander）**

　　飛掠、繞行或著陸外星球（但不會在星球表面四處移動）探測的工具，例如羅賽塔任務中，著陸 67P 彗星的菲萊探測器。

● **漫遊車 / 探測車（rover）**

　　太空探測任務中，可在其他星球表面移動的交通工具。例如阿波羅 15~17 號任務中使用的月面車、火星上的好奇號。

● **太空**

　　距離地表一百公里以上的區域就是太空，這條一百公里高的界線又稱為「卡門線」。

● 掙脫地球的地心引力發射升空，需要多快的速度？

　　來福槍子彈的速度約秒速 1~2 km，要進入太空，火箭必須比子彈快八至十幾倍。

　　離開地表、地心引力與飛行器航行時的離心力達成平衡而保持不墜，進入地球繞行軌道約需秒速 7.9 km（又稱第一宇宙速度）；進入繞行地球的「橢圓軌道」則約秒速 10 km

　　· 脫離地球重力——約秒速 11.2 km（第二宇宙速度）

　　· 擺脫太陽重力——約秒速 16.7 km（第三宇宙速度）

　　每個星球的脫離速度都不一樣，上面三個脫離速度是以地球為準。

● 火箭發射基地的理想條件：

　　〔1〕面向海洋或沙漠等人煙罕跡之處

　　〔2〕緯度低、接近赤道的地方：地球赤道附近的自轉速度最快，表面速度約時速 1670 km！火箭若利用這股力量，藉力使力，可節省燃料，或運載較多酬載升空。火箭朝正東方發射可完全發揮這優勢，不過，這也得視太空人或衛星要進入何種軌道而定，有些國家則因安全問題，無法朝東方發射。台灣緯度低又東臨廣闊太平洋，很適合發射火箭！

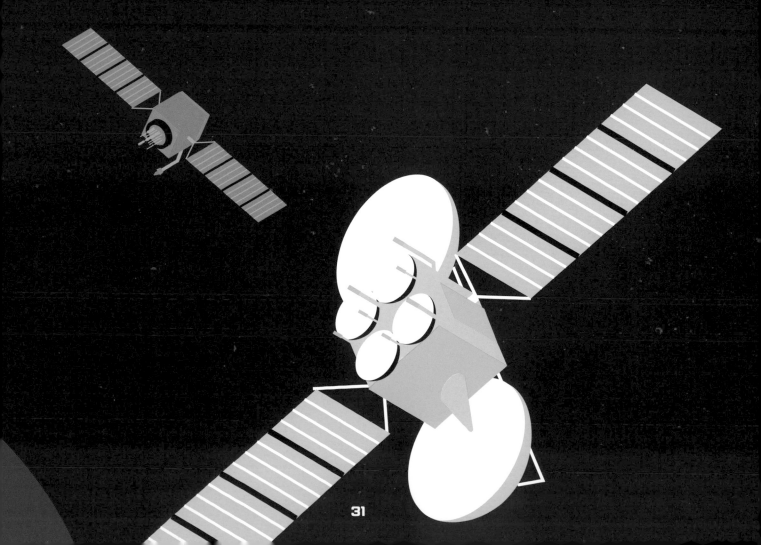

	高度	飛行速度	繞行周期	例子
低地球軌道	350~1400 km	約秒速 7.7 km（高度 350 km）	約 1.5 小時（高度 350 km）	· 國際太空站 ISS（高度約 400 公里） · 福衛二號（遙測衛星，高度約 891 公里）
中地球軌道	1400~36000 km	約秒速 4 km（高度 20000 km）	約 12 小時（高度 20000 km）	GPS 衛星（高度約 20200 公里）
地球靜止軌道（地球同步軌道）	36000 km	約秒速 3.1 km	約 24 小時	· 通訊衛星、氣象衛星

資料來源：國家太空中心

● 地球同步軌道

同步軌道衛星位在 36000 公里高處，在這裡的衛星繞地球一圈約需 24 小時——就跟地球自轉一圈的速度一樣！因此，人站在地面上看，會覺得衛星好像固定在天空同一個位置，與地球同步（而不會像月亮東升西落），因此稱為「同步軌道」。氣象預報中常見的衛星雲圖就是同步氣象衛星拍的！

其他軌道都沒有使用限制，唯獨要發射衛星至「地球同步軌道」必須向聯合國申請。台灣非聯合國會員，無法申請，便委由中華電信與新加坡合作、共同主導，發射通訊衛星「中新 1 號」、「中新 2 號」至地球同步軌道。

● 亞軌道飛行（次軌道飛行）

藉著火箭飛抵太空，再自由落體落回地球，通常用於探空火箭、太空旅遊。一般亞軌道飛行的最高點必須高於「卡門線」，也就是 100 公里高的大氣層邊界。

● 自由返航軌道

航向月球的眾多路線之一，沿這路徑飛行時，只要不作任何影響航向的動作，飛行器就能自動繞過月球背面回到地球。

「阿波羅 13 號」服務艙的液態氧儲存槽在飛往月球途中發生爆炸，服務艙負責供給指揮艙所需的電力和氧氣，這事故讓太空人生命陷入危機。幸好登月艇系統獨立，還能運作，團隊到登月艇避難，並利用登月艇原本降落月面用的火箭引擎切換路線至自動返航軌道，平安返回地球。

此趟任務也留下「休士頓，我們出問題了（Houston, we have a problem.）。」名言。

● 火箭發射倒數

現今在火箭或太空船發射前夕倒數「10~0」已成必備儀式，開創這項傳統的不是科學家，而是 1929 年的黑白電影《月亮上的女子》（Woman in the Moon），後來馮布朗沿襲、發揚光大了這項活動。不過，不是每個人都喜歡這樣熱熱鬧鬧的，科羅列夫就認為倒數計時是愚蠢又做作的美國習慣，他只是靜等發射時間到來，一本正經的按下點火器，讓火箭飛離發射台。

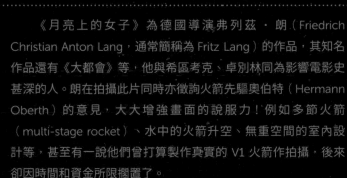

《月亮上的女子》為德國導演弗列茲‧朗（Friedrich Christian Anton Lang，通常簡稱為 Fritz Lang）的作品，其知名作品還有《大都會》等，他與希區考克、卓別林同為影響電影史甚深的人。朗在拍攝此片同時亦徵詢火箭先驅奧伯特（Hermann Oberth）的意見，大大增強畫面的說服力！例如多節火箭（multi-stage rocket）、水中的火箭升空、無重空間的室內設計等，甚至有一說他們曾打算製作真實的 V1 火箭作拍攝，後來卻因時間和資金所限擱置了。

ARRC 火箭結構
大揭密

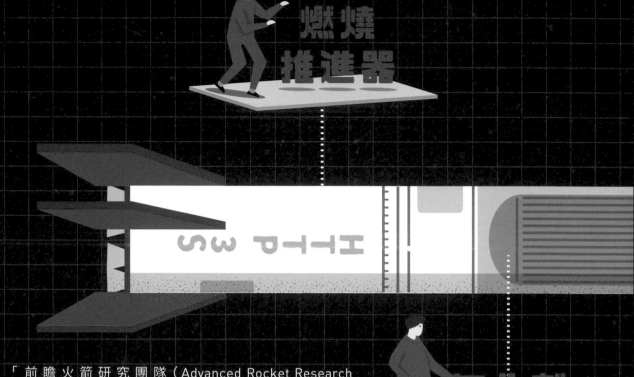

燃燒
推進器

氧化劑
儲存槽

「前瞻火箭研究團隊（Advanced Rocket Research Center, ARRC）」所研發的大型火箭取名為「HTTP」，由四校所在縣市的新竹（Hsinchu）、台北（Taipei）、台南（Tainan）、屏東（Pingtung）英文縮寫組合而成。平時用來測試的 APPL 小火箭，名字是來自交大實驗室 Aerothermal & Plasma Physics Laboratory 的縮寫。

團隊自 2008 年開始投入研究、親手打造火箭，一開始只是一群火箭實作課程的師生聚在一起研究，結果火箭愈作愈大，也愈來愈複雜。不過，要製造一支火箭可沒那麼容易，每個團隊都由各有專業的教授帶領，負責不同的系統，最後才能整合出載著大家的夢想上太空的火箭！

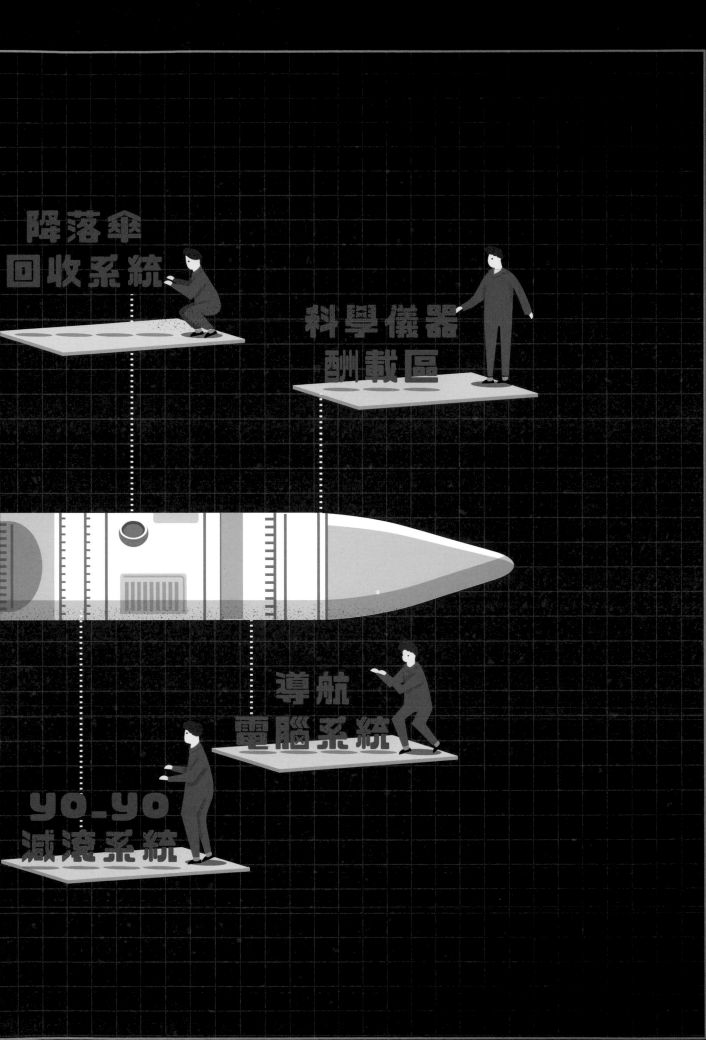

火箭推進系統

　　想像一下，吹飽一顆氣球，然後放開，氣球會因為內部空氣噴射出來而四處亂飛。讓火箭升空的原理就跟這個現象一樣。把氣球換成火箭，不同的燃料在火箭內部混合燃燒後，會產生高溫高壓氣體，經過尾端噴嘴加速噴出，就能推動火箭向上！牛頓第三定律說：「一個作用力必有反作用力，兩者大小相等，方向相反。」所以當尾端噴出的氣體愈多愈強大，火箭就能飛得愈快。而這個讓火箭能擺脫地心引力的魔掌，飛向太空的背後推手，就叫做推進系統。

熱力四射的火箭

　　火箭的動力來源，目前有化學、電力、太陽能、核能等等。藉由燃燒燃料、產生高壓氣體噴射出去而獲得推進力的火箭統稱為「化學火箭」，是目前發展較成熟，最常被使用的一種。

　　依燃料種類，火箭還可分成：固態燃料火箭、液態燃料火箭及混合式燃料火箭。其中以液態燃料火箭性能最好，因為它可控制燃料流量，所以也能控制推力大小，利於控制火箭飛行與進入軌道。液態燃料是大型火箭主流，目前載送大型衛星進入太空軌道的都是液態燃料火箭。固態火箭成本低，但也最危險，混合式火箭居中，安全性高、成本低。

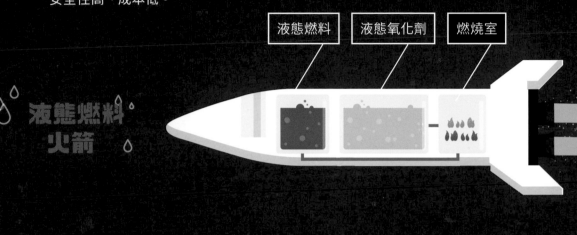

液態燃料　　液態氧化劑　　燃燒室

液態燃料
火箭

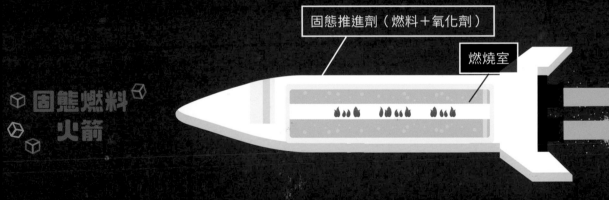

固態推進劑（燃料＋氧化劑）

燃燒室

固態燃料
火箭

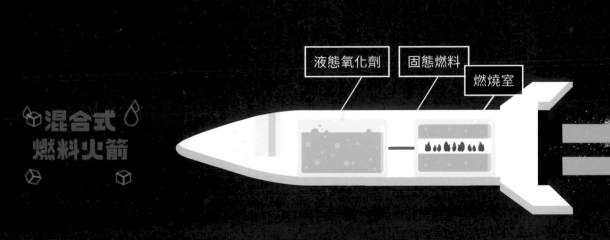

液態氧化劑　　固態燃料　　燃燒室

混合式
燃料火箭

蔗糖也能變燃料？

　　APPL 使用的固態燃料很特別，居然是用糖製成!! 研究人員把糖磨成粉加上硝酸鉀，還有一點點氧化鐵，加熱後做成固態燃料，放進火箭裡點火就可以產生動力，所以這款火箭又暱稱為「蔗糖火箭（Sugar Rocket）」。

35 : 65 : 1

山梨醇　+　硝酸鉀　+　氧化鐵

融熔法

ARRC 推進器的演進

ARRC 團隊的推進系統是由交大團隊負責研發。ARRC 團隊總共發展了兩款火箭,一款是平時用來測試的 APPL 小火箭,另一款就是準備上太空的 HTTP 火箭。APPL 小火箭是用簡單的固態燃料來推進火箭,原料是糖,所以又稱為蔗糖火箭。

HTTP 系列則是混合式火箭。火箭推進劑使用兩種不同狀態的物質,固態物質是燃料,液態物質則是一種俗稱「笑氣」的一氧化二氮作為氧化劑,固態與液態兩種物質混和,點火燃燒就會產生高壓氣體噴射,推動火箭引擎,引擎也經過特殊設計,燃燒效率非常好。這樣的引擎設計可說是 ARRC 最突出的研究成果之一。以往混合式推進器的缺點是體積很大,以至於重量太重,難以實際運用在火箭上,但他們在同樣的推力大小下,成功縮小了推進器體積。

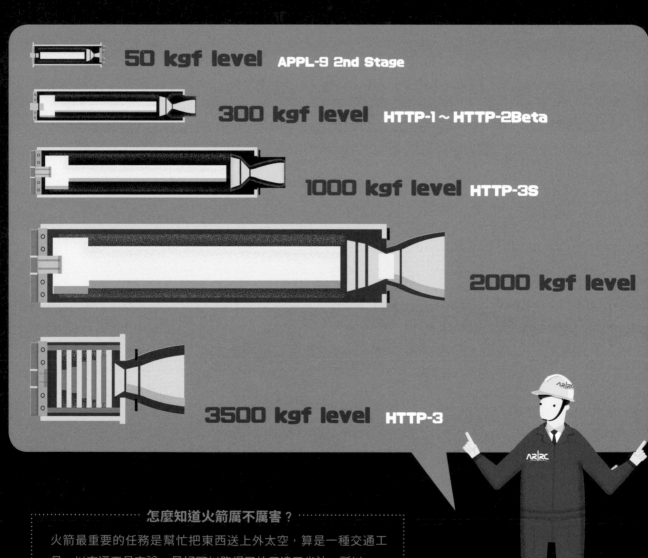

50 kgf level APPL-9 2nd Stage

300 kgf level HTTP-1 ~ HTTP-2Beta

1000 kgf level HTTP-3S

2000 kgf level

3500 kgf level HTTP-3

怎麼知道火箭屬不屬害?

火箭最重要的任務是幫忙把東西送上外太空,算是一種交通工具。以交通工具來說,最好可以跑得又快又遠又省油。所以,一支火箭屬不屬害就看它能否用最少的燃料達到最高的推進力,也就是燃燒效率高不高,專業的名稱叫做比衝。比衝值愈高,表示燃燒效率愈高,意味著火箭要到達相同高度時,需要攜帶的燃料就愈少,火箭就愈屬害!

高壓氣體

壓力容器

　　火箭飛離地面要花很大力氣與地心引力拉鋸，混合式火箭用來把火箭推離地面的燃料與氧化劑合稱為「推進劑」。光是推進劑就佔了火箭總重量高達 90%（飛機、船、汽車的燃料比都不到 50%），也就是說一整支火箭幾乎全部的空間都用來裝載飛行所需的能量。

　　混合式火箭的組成，主要包含一個裝有液態氧化劑的壓力容器與一個裝有固態燃料的燃燒艙，壓力容器與燃燒艙中間有一個閥門將氧化劑與燃料分離。當火箭發射時，首先點火融化固態燃料，而後打開閥門，讓氧化劑流入燃燒艙，氧化劑與燃料起化學作用進而產生推力。儲存氧化劑的壓力容器，要能承受非常高的壓力，本身就是一門很大的學問。

壓力超大的「壓力容器」

　　日常環境中為 1 大氣壓，若是使用笑氣，壓力容器內部必須承受 60 大氣壓的壓力，基於安全考量，設計時必須耐壓達 90 大氣壓力。所以壓力容器既要承受高壓，又必須夠輕才不會讓火箭超重。這個壓力超大的任務，是由屏科大團隊負責。

　　為了達到又輕、強度又強的目標，團隊一開始使用鋁合金製作壓力容器，它的強度不遜於鋼，重量則輕得多，只是有一個大麻煩，使用傳統 TIG 銲（鎢極氣體保護電弧焊），銲接過後強度幾乎減半。壓力容器因為必須承受高壓，實驗階段總是驚險萬分，成員得做好萬全準備才行。有一次當成員將笑氣從鋼瓶灌入壓力容器中，沒想到壓力容器突然爆開──氣體體積可以壓縮，一旦裝填氣體的高壓容器爆炸，碎片會像炸彈般高速四射。實驗室頓時煙霧瀰漫，物品東倒西歪，還有塊碎片將門後柱子鑿出缺口，幸好沒有人員受傷。不過，這場意外嚇壞不少人，也差點擊垮老師們的信心，一度很猶豫是否該繼續作火箭。壓力真的很大！

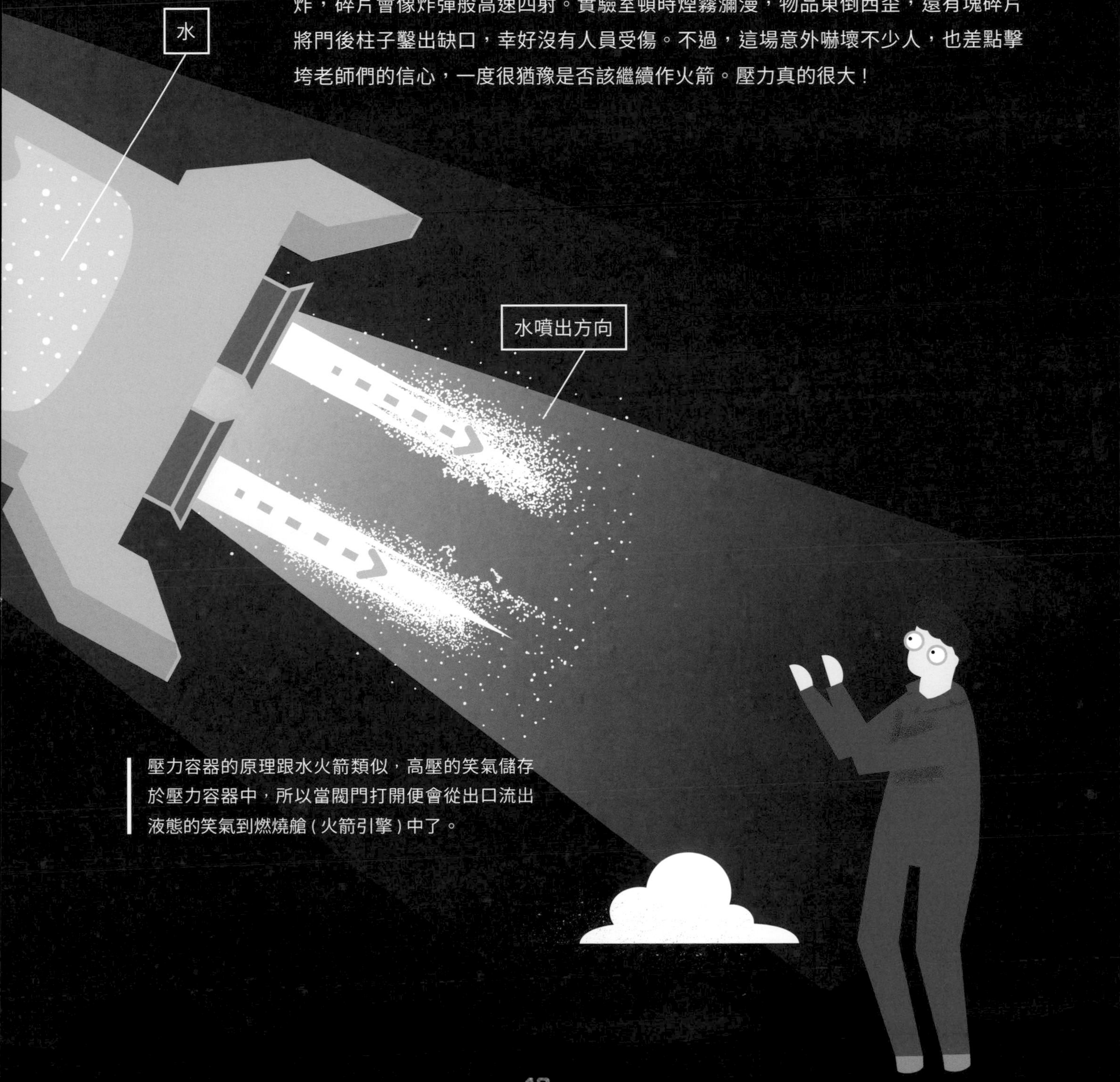

水

水噴出方向

壓力容器的原理跟水火箭類似，高壓的笑氣儲存
於壓力容器中，所以當閥門打開便會從出口流出
液態的笑氣到燃燒艙（火箭引擎）中了。

　　後來團隊在鋁合金內膽貼上玻璃纖維強化，搭載這個壓力容器的 HTTP-1 成功升空後，給了團隊很大的鼓舞，但這樣的技術無法滿足未來的火箭，必須進一步研究更高階的複合材料，首選材料是「碳纖維」，這是一種強度比鋼大了四倍、比鋼或鋁合金都輕、比人類頭髮還細的纖維，含碳量 90% 以上。這麼高強度而輕量化的材料，自 70、80 年代便普遍用在航太領域如火箭、飛彈外殼，後來延伸應用到跑車、釣魚竿、運輸工具等體育休閒產業。

　　不過，想使用這材料的門檻相當高，一台碳纖維纏繞機要價新台幣數千萬，台灣只有中科院擁有碳纖維的纏繞設備和技術。最後團隊只能尋求民間廠商協助，不過，當聽說是要做火箭時，廠商還以為是遇到詐騙集團！後來廠商了解團隊計畫與夢想後，轉而大力相挺。

▌外層黑黑的是碳纖維包覆，目的就是為了要減輕重量。

2011 年 8 月，ARRC 在屏東旭海試射第二枚大型火箭 HTTP-2α，任務重點是回收火箭本體與資料。對於製作壓力容器的屏科大團隊而言，這也是他們檢驗以新的材料、新的製作方式設計的壓力容器是否能成功執行任務的機會。

這次的任務卻因颱風、暴雨延遲兩三天，火箭團隊一百多人徹夜檢查火箭，溫習發射程序。發射當天凌晨兩三點成員們就驅車到海邊準備，在 11 個月前同樣的地點、同樣興奮的心情倒數、點火，卻只見火箭冒出白煙，HTTP-2α 仍優雅的掛在發射架上，發射失敗。大家只能垂頭喪氣的收工回民宿，他們仍不放棄，不斷進行各項檢查，第二天再試一次，但結果還是一樣，眾人心情一下由頂峰跌到谷底，只能接受失敗的事實。後來細查原因，原來是推進段的燃料槽控制閥內的鐵氟龍墊襯處於高壓情況過久而嚴重變形，馬達轉不動它，導致笑氣無法通過閥門與固態燃料進行反應，沒有辦法燃燒燃料，當然就無法升空了。

HTTP-2α 沒升空，屏科大團隊無法確認新製程之下的壓力容器是否能穩定進行飛行任務。他們直接在海邊卸除儲槽內的氧化劑，那些從儲存槽釋出的壓力轉化為團隊心頭上的壓力。在準備第三支火箭 HTTP-2β 的發射期間，屏科大團隊持續尋找更高階的設備，希望製作出更耐壓的壓力容器，HTTP-2β 的飛試足足延了一年。在這一整年裡，團隊補足許多分析與細節測試，把 HTTP 的設計提升到另一個層級；同時，另一家位於桃園的廠商熱血幫忙，也讓團隊有了堅強的後盾。

暌違了兩年的 HTTP-2β 順利升空，HTTP-3S 也緊接著六個月後發射。證明了壓力容器的製作已經達到穩定。以往每做一個壓力容器就要動員整個屏科大實驗室，現在製造一個成品只需 4 人。

分節系統

　　火箭的外觀看起來是長長的一整支，但其實是由可以分離的幾節所組合起來。火箭各節的組成像蓋房子一樣，第一節在火箭最下面，第二、第三節往上堆疊。每一節都有推進系統，第一節推進劑燃燒完畢，就切離、脫落，接著第二節點火，繼續將火箭往上推。

　　世界各國載衛星入軌的火箭大多是 2 節或 3 節的多節設計，火箭一邊飛行，一邊拋棄已無用處的部分，就可減輕重量，讓火箭飛得更高。

分節的藝術

　　ARRC 的兩節火箭之間靠金屬環扣連著，兩顆「爆炸螺栓」嵌在環中，這種特殊設計的螺栓內含火藥和點火裝置。火箭的加速度規會偵測火箭由高速至減速的重力變化，就像搭電梯上樓時，電梯停止前一刻的感受，當發出指令讓火箭脫節時，螺栓便會斷開使上下兩節火箭分離。第二節偵測到分離訊號，就會啟動第二節推進器點火。點火成功，氧化劑閥門開啟，第二節火箭便能繼續推進飛行。

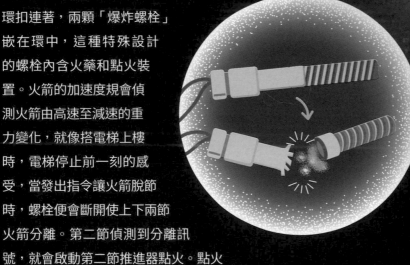

　　原理說來簡單，但 ARRC 花了一年、足足用了三支 APPL 小火箭才達成分節測試——第一支剛剛離開發射架就爆炸、第二支兩顆爆炸螺栓同時故障而未脫節，直到第三支才成功分離兩節火箭。

減滾系統
yo-yo Despin Mechanism

火箭發射後，飛行速度非常快，為了讓火箭在高速飛行時保持穩定，往往會設計讓火箭旋轉，稱為自滾（Spin）。這是利用設計尾翼的攻角，藉由飛行的高速氣流產生尾翼的側向力來滾轉火箭。火箭飛行速度愈快，火箭自滾也會愈快。

但火箭的任務是把科學儀器帶到外太空做實驗，如果自轉速度太快，火箭鼻錐罩可能在開啟瞬間就撞擊裡面的儀器，或讓儀器運作不良、無法順利作科學觀測。「減滾系統」就負責讓火箭別轉那麼快，「否則科學儀器都『暈車』了！」

火箭裡的溜溜球

ARRC 的減滾系統是由屏科大團隊負責。這是兩顆拳頭般大小、重 1.1 公斤的鋼球，以 1~2 公尺長的鋼纜纏繞在火箭本體，到特定高度時藉由火箭自滾的離心力甩出、旋轉，就像兩顆溜溜球一樣擺盪，所以稱做「溜溜球減滾裝置」。小鋼球瞬間彈出的力量可達 2000~3000 公斤！它們旋轉方向與火箭一致，但內部纏繞方式會讓火箭受到反向力道牽制、繼而減緩自轉速度。調整繩子長度與鋼球重量就能控制力道，讓火箭從每秒轉 3~4 圈降低成 1 圈甚至 0。

Yoyo 減滾系統

最初進行地面測試時，因為沒經驗，不知道鋼球甩出的力量有多大，只用釣魚繩綁著鋼球，結果不只繩子斷掉，作為防護的第三層鐵網也被飛出去的鋼球打穿，還損傷旁邊的推車與水泥牆。之後改用玻璃纖維當護幕才成功擋下小鋼球。

一起說掰掰

減滾系統中的兩顆鋼球彼此用釣魚繩相連，固定在火箭內部，等到達特定高度時，小鋼球就要跟火箭說掰掰。如何將這兩顆球「同時」釋放到火箭外是個關鍵，如果沒有同時分手，產生的力量會傾斜，就會使火箭偏移。

拋開減滾系統可以用彈射或者燒斷的方式，彈射裝置可能會有時間誤差，ARRC 使用的是將釣魚線灼燒斷裂，讓兩顆小球同時失去束縛，瞬間拋甩出去來完成任務。這個 yo-yo 減滾儀器首度亮相就試用在 HTTP-3S 身上，證實效果非常不錯。後來也安裝在太空中心與中科院合作的探空火箭計畫「探空十號」上，解決該系列火箭長久以來的火箭自旋問題。

小知識：太空中心的探空火箭

太空中心與中科院合作，計畫在 2004~2018 年之間發射 10~15 枚探空火箭，目前發射至「探空十號」。探空十號於 2014 年 10 月 7 日自屏東九鵬基地發射，升空 50 秒時啟動滾轉控制裝置，使火箭由每秒 4 轉降至實驗所需的每秒 1.1 轉以下。

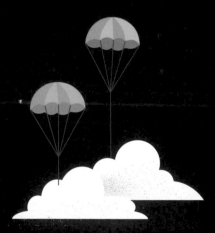

回收系統

　　在所有飛上太空的設備中，太空梭能自己飛回機場；執行
NASA 任務的太空艙、俄羅斯太空船「聯盟號」則是靠一系列的降
落傘安穩降落在地球上。現在各國火箭多為拋棄式，不會費心回收。
目前最厲害的回收系統當屬 Space X，可以讓火箭自己飛回海上平
台。把發射後的火箭收回來有許多好處，不僅能取回航電系統中存
有完整資料的記憶體，部分零件重複使用也能降低下一支火箭的製
造成本，ARRC 的火箭就設計有回收系統。

第 2 節 第 1 降落傘

第 1 節降落傘

第 2 節 第 2&3 降落傘

APPL-9c 的降落傘配置圖

踩著裁縫車的研究生

　　ARRC 的火箭回收系統，靠的是降落傘。降落傘的設計與製作由交大團隊成員一手包辦！適合作降落傘的材質必須要強韌、重量輕、不易變形或產生靜電，製作羽絨衣常用的尼龍布就很適合。不過這樣的布不容易買到，團隊成員找了許多地方，最後才在台北的永樂市場裡找到。另外，降落傘使用的繩子，必須要夠細、強度又高，不容易斷裂才行，這樣的繩子是在釣魚店裡找到的。

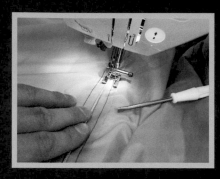

▌降落傘製作

　　為了縫製降落傘面，成員說服老師買了一台裁縫機放實驗室。製作降落傘的成員有童軍背景，也清楚繩結搭配，加上自己會裁縫，所以降落傘的製作過程不費吹灰之力——雖然縫一頂降落傘很花時間。因此，當打開交大火箭研究室，如果看到一個博士生坐在縫紉機前，答答答答的縫著東西，真的不要懷疑自己走錯地方。

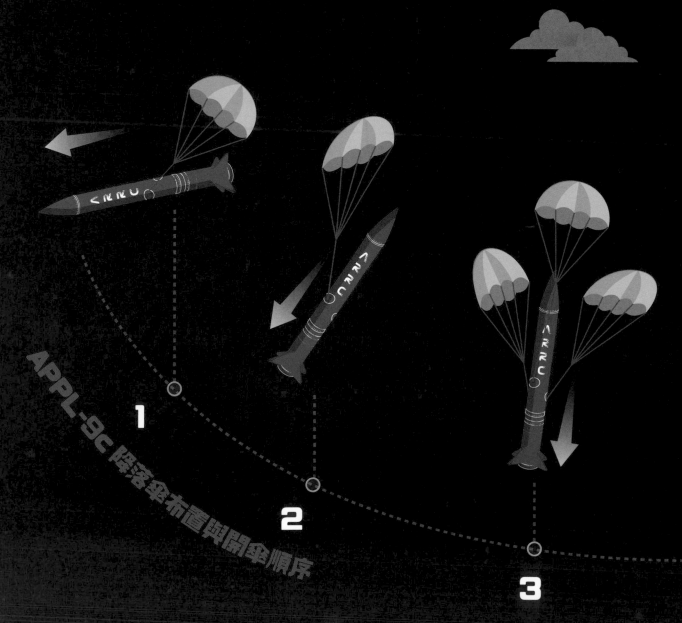

APPL-9C 降落傘布置與開傘順序

1

2

3

安全降落的藝術

　　跟縫紉降落傘比起來，如何讓降落傘以安全速度降落才是傷腦筋。降落速度太快可能損傷火箭本體，太慢又可能讓火箭降落時飄太遠，因為目前還無法控制火箭降落方向，只能讓它隨風飄盪。設計者須依火箭大小、預定的速度與高度，安排不同大小和數量的降落傘，設計開傘程序，直接開啟大主傘非常危險，會造成極大的瞬間拉力，可能因此損壞降落傘與火箭，更嚴重的話會拉斷傘繩，讓火箭直接墜地。

　　降落傘專業測試方式是靠風洞──這是一種巨大風扇，有的葉片可達兩三層樓高，主要用來模擬強風對飛機、汽車等交通工具造成的空氣阻力；軍方傘製所則搭飛機直接空投測試。但學校沒有夠大、風速達

八級風的風洞，也不可能用飛機空投，成員便跑到校內最高的樓層（11 樓），將降落傘綁著水桶丟下去，甚至有一次在颱風前夕還跑到屋頂測試降落傘，結果才剛把降落傘固定在屋頂某處鉤環，一陣強風吹來直接把降落傘連同水泥塊颳起來。

　　團隊成員至今縫了十頂以上的降落傘，每次任務要放的傘數量不一樣，只要有成功回收，晾乾後就能重複使用。APPL 小火箭通常能撿回來，不過 HTTP 火箭的變數很多，目前除了曾在海上回收過 HTTP-2β 的壓力容器之外，團隊還未曾完整回收大火箭。

▌APPL 系列火箭降落傘

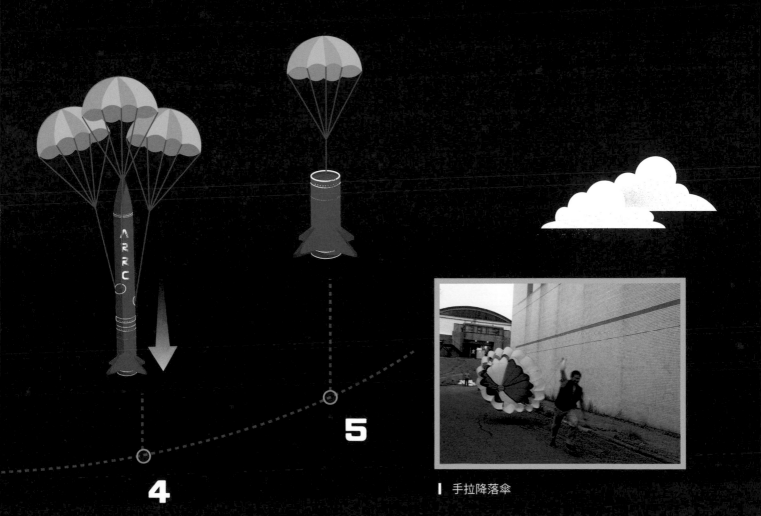

5

4

▌手拉降落傘

飛行電腦導控系統

　　航電系統堪稱火箭的大腦，點火之後，監測火箭是否偏移軌跡、讓通訊系統回報資訊、何時該關閉閥門、降落傘何時開啟……就全靠航電系統指揮火箭！航電系統由成大團隊負責，交大機械系團隊協助感測器與火箭系統整合。

升空後全部靠電腦

　　航電系統的任務分為兩部分：控制和資料處理。理想的航控能控制火箭飛行姿態，火箭偏移時就利用噴氣或其他方式微調，不過 ARRC 尚未達到那一步。HTTP 目前只是探空火箭，載著科學儀器到特定高度量測資料，高度不高，還不需要飛行控制，就靠自滾保持穩定。

　　資料分成兩部分儲存，一個完整儲存在航電內部的記憶體，類似飛機的黑盒子（但目前團隊還未成功回收過大火箭的航電系統）；另一個則在飛行期間，即透過通訊系統持續傳輸到地面。因為頻寬限制，無法完整傳輸每筆資訊，因此團隊設定只即時回傳重要資訊，其餘就存在記憶體裡，例如測量火箭姿態的資訊是每秒 100 筆、GPS 資訊每秒 10 筆、溫度每三秒傳 1 筆。以往火箭裝設的感測器較少，只有火箭姿態、GPS、氣壓計，現在還加上溫度、壓力、脫節信號，若能完整蒐集資訊，一次飛試的資訊量大概幾十MB，還不算大。

　　這些回傳的資訊是最珍貴的，火箭衝入天際後無法靠目測觀察，團隊事後全靠這一筆筆感測器記錄的飛航數據，分析火箭是否飛到了目標高度、是否飛在預定軌跡上、火箭結構變化等等。

自己的電腦自己做

　　火箭的航電系統大多是將一整台電腦（PC 或工業電腦）放在火箭上，為避免指令錯誤或電腦當機，常會多放幾台以比對指令、聯合執行軟體，或做為備份。不過 HTTP 火箭採用單晶片，將程式直接寫在晶片裡，這種簡單的控制器不需灌入作業系統。一般 PC 的作業系統一定是裝別人的核心，自己能掌控的東西十分有限，除錯也很複雜。單晶片體積小，出錯時容易回溯，增加功能或備份也相當便利，因為架構全由一個個「節點（node）」組成，一個節點相當於一個電腦或控制器，目前 HTTP 的航電系統分成三層，一個節點控制火箭飛行、一個控制閥門開關、一個專門蒐集資料。若火箭變成兩節、三節，需要兩三個閥門依序開關，此時再增加一個節點即可。這項技術統稱為「分散式」航電系統，優點在於容易擴充至更複雜的系統。日後若要控制火箭姿態，則需要建置即時操作系統（Real-Time Operating System, RTOS）。

　　即便有現成設備，老師也要求他們自己動手作。單算材料費的話，自己動手作會便宜很多，但加入研發成本就不一定了，可能測這個不行、那個不行，測試一大堆都不行，很多錢就花在這邊。不過成本只是其次，老師逼著學生自己來的目的是，將一切技術掌握得清清楚楚，這些實戰磨練的成果和經驗只專屬於團隊。

▌航電系統振動與衝擊測試

不斷修改的血淚歷程

　　對航電系統來說，最脆弱的時候是火箭發射瞬間，發射的時候，有收到資料就沒問題了；沒收到的話，可能飛行電腦震壞了，或是通訊系統震壞。而返回地面時，降落傘開啟瞬間造成的衝擊力道有時候甚至比點火推進的時刻還大（想像一下坐在高速行駛的車上，緊急煞車時身體頓時前傾的那股力量），為了確保航電系統的可靠度，成品必須通過許多測驗，包括振動與衝擊測試、真空測驗與電磁干擾測試等。以前的航電架構拆解較麻煩，若壞掉的零件在最裡面，要花上一晚上的時間拆解，周圍線路得全部剪斷再重新焊回去，銲不好的話，通訊系統又可能從縫隙侵入、干擾；現在大約一小時內就能找到壞掉的元件。

　　火箭飛上去之後就完全交給航電自主控制，人員無法干預（靠人工修正也來不及應變），因此事前模擬（軟體迴路模擬、硬體迴路模擬）要做得非常準確！帶領團隊的老師也提到，火箭發射的影片很振奮人心，研發火箭看似浪漫，但辛苦的過程簡直血淚交織，東西要一改再改，過程是非常煎熬的。

　　現在 ARRC 的航電系統已穩定，交接給一屆屆的碩一學生負責，隨每次任務調整部分功能。未來計畫達到真正的姿態控制，也會有備援系統，也構想著，或許可以試試用飛行傘，帶著航電系統滑翔回近岸。

通訊技術

一次次任務會訂定火箭飛行高度目標，這就牽涉到通訊，通訊系統負責即時回傳火箭飛行時，感測器蒐集到的各項資訊。沒有訊號回傳就無法確定火箭高度，數據若傳輸不全，也難以分析火箭發生什麼問題。

通訊系統由北科大團隊設計研發。無線電看不到摸不著，天氣狀況不一樣、火箭擺的姿勢不一樣，通訊狀況就有所不同，得從一次次實驗歸納各個情境下通訊的表現結果。

火箭若訊號不好或失去通訊，成大和北科大團隊就會「吵架」：「我們的電腦都活著，都是你們的通訊沒有把訊號打下來，害我們不知道資料。」而北科大團隊也「不甘示弱」：「我們天線好好的，是你們電腦當機，不把資料打下來我有什麼辦法？」出狀況時，雖無法完全確定是電腦或天線的問題，但能從數據推測。

因為要讓訊號傳輸幾十公里甚至上百公里，團隊採用可傳輸遠距離、訊號較穩定的低頻段，火箭通訊系統的功率很大，大約 7 瓦（日常生活中，wifi 分享器頂多 1 瓦多）。理論上，要傳輸多遠距離、需要的天線功率可以從理論推算出來。不過，老師們要求在理論值之外，也實際測試，成大和北科大團隊便一起出差，到野外測試通訊系統的傳輸範圍。

HTTP-1 任務期間，他們到北宜公路上一座涼亭測試，發射端在涼亭，接收端的人員則拿著天線、開著車沿著海岸跑，看能接收到哪裡，後來改到台南關子嶺。他們分 5、10、15、20 公里好幾個點，測試傳輸狀況。

火箭預定發射上百公里，為什麼測試只有二三十公里？因為團隊已可據此比對理論值與實際值的落差、推算傳輸距離對訊號衰減的影響。而且地面測試像是火箭躺著測，中間有很多障礙物，火箭飛上去之後，空對地傳輸反而很寬闊，條件還比野外測試的環境好，所以地面測過沒問題，實際發射應該也會沒問題。

▌用天線接收訊號

在火箭這種高速移動的物體上通訊，與地面靜止的長距離測試狀況又有所不同，但這難以實地測試。成員說：「在地面上最接近高速的東西是高鐵吧，但又不太可能把這系統掛在高鐵車廂外面，趁它行車時測試。」以前曾發想過邊開車邊測試天線收訊，「但開車時一根天線伸出車窗外很危險，而且車速頂多開到時速 50~60 公里，跟火箭還差得遠。」目前這部分就靠理論和不斷模擬。

▌ 山上組測試器材

發射 HTTP-3S 時，離火箭發射點約 300 公尺處的涼亭設有一通訊站、安檢所的頂樓與地面各一站、試射處直線距離 1 公里與 4 公里處左右各有一站，五個點同時接收火箭傳下的訊息，比對通訊狀況。同時，也將重要資訊即時傳輸到遠端控制中心的雲端平台。

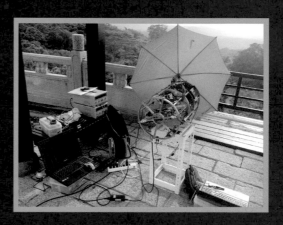

▌ 山上組發射器

HTTP-3S 任務首度完整傳回飛行數據，是資料傳輸最良好的一次！成員回想起這段過程仍「餘悸」猶存：「要發射時我幾乎看到人生跑馬燈！想說要是沒成功收到訊號一定又要被罵得很兇，心情很緊繃，接收很順利心裡反而異常平靜，喔，資料有收到，很好。」

▌ 山下組準備接收訊號

發射架

火箭發射架是在發射時用來固定火箭的支架。HTTP-1 的尺寸小，發射架是用大賣場買來的鋁條裁切而成，靠人力組裝、豎立即可。HTTP-3S 足足比前兩代火箭尺寸大了兩倍，重量重了三倍，就要重新打造發射架，目的也是可以留給未來大型火箭所用。HTTP-3S 任務首次將發射架研發工作也交給屏科大團隊來主導。

上網練功，工廠實做

屏科大團隊原已負責了結構分析、壓力容器，再加上發射架，工作量非常吃重。「起初對這新鮮的挑戰很興奮，不久就嚐到苦頭了！」成員從網路觀摩資料，修改、設計出三腳支撐式的發射架，後續建圖檔、分析模擬也很順利。但挑戰來自最終實作，設計圖交到製造廠商手上後，馬上被質疑許多問題，成員每周從屏東到桃園與廠商反覆討論，重繪的工程圖超過 500 張。廠商也說，由學生負責這麼大的案子，真的很大膽！

只為了 10 分鐘的升降

之後，另一位成員接力研發，再度走過設計的漫長過程，終於到了實際操作步驟。這是最重要的一環，驗收發射架是否能正式上場。結果，加工誤差讓它達不到預定高度，團隊花兩周校正後再次測試，桁架成功升起了卻降不下來，成員只好頂著大風，爬到六公尺高的頂部尋找原因，原來又是加工誤差，一點點突起塊就讓整個發射架下不來！

▎HTTP-2 alpha 發射架 　　▎HTTP-3S 發射架

HTTP-3S 試射前夕，發射架進行最終演練。那天，滿月高掛夜空，橘紅火箭安棲在白色發射架上，緩緩升起，姿態像要飛向月亮一樣，現場響起振奮的掌聲。這些程序成員先前已演練了 50 次以上，發射架舉升到預定位置不過十分鐘，但這十分鐘對成員來說像十年。

最後團隊設計出一款雙塔式的發射架，負責這款發射架的成員經常一大早從屏東騎車到高雄與工廠師傅一起工作，晚上帶著一身黑汙回實驗室繼續下階段設計工作。最不拿手的升降機構的電控，也在跟廠商不斷溝通下，順利完成。

整合系統

ARRC 火箭團隊平時個別研製自己負責的工作，最後再像拼立體拼圖一樣，把它組合成一支火箭。即使每個系統都已各自詳細測試過，整合時一定會有問題從意想不到的地方冒出來！所以在發射前幾個月必須非常密集的測試。

排解系統打架

在整合過程中，航電系統最常跟通訊系統「打架」（電磁干擾），零件無法運作時，兩邊團隊就得反覆討論、測試、修改，成員們試著把天線包起來、用鋁箔紙把線包起來……有時候不知道問題出在哪裡，就把系統全部拆開，一個零件、一個零件的加回去。最慘的是加上去後，發現這個有問題，就以為問題只出在這裡，可是做到最後，下次再測試發現還是不順利，這是最耗時間的。整合時期大概是團隊瘋狂加班的時候，剛開始團隊都很樂觀，以為測一天就好了。所以南部的團隊一大早就搭高鐵到交大，結果都在交大實驗室過夜，或是硬撐搭半夜的客運回台南。

火箭的結構甚至也會干擾航電，有次好不容易全部搞定，就等進行最後一道振動測試，這時老師建議將玻璃纖維外殼改成更堅固的碳纖維，結果碳纖維套上去，電一開就熄了，原來是碳纖維會導電，造成短路，燒壞整個航電系統！結果又多花了一個月的時間，從此以後航電段的外殼就都維持玻璃纖維。

處理觀念不合

火箭結構與推進段也會衝突，例如交大團隊認為要在爆炸螺栓上設計 V 型凹槽，但負責結構的屏科大就不贊同，直指這樣設計錯誤，因為爆炸螺栓的功能相互矛盾：要夠牢固，得固定好連接的兩個物體，但又必須在關鍵時刻俐落斷裂，以免影響火箭離開發射架，或是第一節火箭脫離第二節。凹槽是為了讓螺栓整齊斷裂在該處，如果設計成 V 型，鎖螺栓時就可能會斷掉。

又如交大團隊提出希望火箭外殼再削薄幾毫米，屏科大也會反對，認為不同部位的結構厚薄都要經過計算、模擬強度，不能隨便喊。

▌火箭發射前的會議

▌HTTP-1 發射準備

即使是一塊看似不經意的焊料，都經過事先考量，不能亂改。曾有廠商為了美觀，擅自將火箭管線銜接處突起的焊料磨平，結果測試時管線就從那裡裂開。

起初團隊常常爭辯得很激烈，不過成員大多就事論事，用專業說服彼此，幾年過去，團隊也累積了難以取代的默契。

掌控發射程序

組裝火箭的過程是個大麻煩，研擬發射程序也要費一番心力。團隊中每個人身兼多職，其中最重要的工作之一是發射現場總指揮。這不是一項簡單工作，火箭各個部位有不同的測試流程和需求，總指揮可能會收到 10 份 SOP（標準作業流程），他必須把這 10 份彙整成 1 份。此外還必須考量各系統的蓄電力、發射時間、人員配置等各種因素，擬出最後方案。

有次預定早上八點發射大火箭，根據各實驗室表定的程序，清晨六點開始作業即可，但總指揮認為必須再提早一點！決定凌晨三點開始動工，即便如此提早，仍完成得非常驚險，差一點就超過預定發射窗口（ARRC 試射火箭時，必須事先向許多單位申請時段，比如早上 7 點至 8 點，確定此時段無飛機經過預定飛行軌跡，再由政府單位通知避開可能降落海域，這預定的發射時段就稱為「發射窗口」）。多虧了總指揮的直覺，否則這次的試射就會功虧一簣。

ARRC 團隊結合了來自不同領域的專業，火箭最後的組裝與整合就非常重要，每個團隊成員帶著自己的專業，貢獻所長，每次試射前，總要經歷一番就事論事的「吵架」。

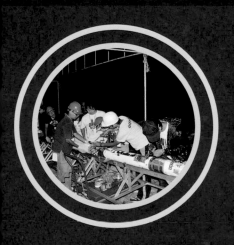

HTTP-2 alpha 發射準備

HTTP-2 beta 發射準備

HTTP-2 beta 發射

ARRC 歷代火箭

ARRC 發展的火箭系統，有使用固態燃料的 APPL 小型火箭，及使用混合燃料的 HTTP 系列大型火箭，試射的過程有成功也有失敗，對成員來說。成功了很開心，辛苦的研究過程總算有成果。而失敗了則是科學實驗的日常，收集失敗的經驗，再往每一次的進步前進。

2010
HTTP-1

發射時間	2010.9.6
長　度	4.2 公尺
直　徑	15 公分
重　量	55 公斤

飛行結果：順利發射。

2011
HTTP-2α

發射時間	2011.9.4
長　度	4.5 公尺
直　徑	15 公分
重　量	64.5 公斤

飛行結果：
燃料槽的控制閥出問題，火箭點火後毫無動靜，無法發射。

◎ APPL 系列：
APPL 系列大多於新竹香山濕地發射

發射狀況　　回收狀況

APPL-0 α
🚀 飛行力道過大，鼻錐於空中解體，導致降落傘意外被拉出，箭體返回地面時降落傘有順利開啟。
🔄 降落傘打開回收

APPL-0 β
🚀 發射架上爆炸解體
🔄 降落傘未開

APPL-1
🚀 飛行正常
🔄 降落傘半開回收

APPL-2
🚀 APPL-2 屬雙節固態燃料推進器火箭，第一節火箭燃料耗盡並脫節後，第二節火箭順利點燃，但由於飛行距離過遠無法得知最後飛行與回收狀況。
🔄 第一節回收，第二節只看到副傘飛過

APPL-3
🚀 推進器故障，火箭離開發射架後約 1 秒即爆炸解體。
〔P.S.：發射地為彰濱工業區〕
🔄 爆炸後，降落傘仍打開，正常運作

APPL-4
🚀 飛行正常
🔄 加速規裝反了，導致降落傘未開；鼻錐頭未炸開；地面墜毀

APPL-V1
🚀 由於推進器故障，火箭離開發射架後約 1 秒即因推進器燒穿而墜毀。
🔄 地面墜毀

APPL-V2
🚀 飛行正常
🔄 主傘未完全拉出就落地

APPL-6I
🚀 因火箭與發射架連接的滑動螺絲故障，火箭點火後，未能順利離開發射架，就在火箭燃料燒盡後於發射架上脫開落地。
🔄 發射架上回收

APPL-6II
🚀 飛行正常，V-Band 和降落傘未打開。
🔄 降落傘未開，地面墜毀

型號	APPL-0 α	APPL-0 β	APPL-1	APPL-2	APPL-3	APPL-4	APPL-V1	APPL-V2	APPL-6I	APPL-6II
發射日	2008.6.22	2009.1.18	2009.6.28	2009.9.7		2011.1.24	2011.3.10		2011.5.9	2011.6.24

時間	2008	2009	2011

HTTP-2ß 有兩節，第一節使用混合式火箭推進器；第二節火箭不具推力，僅裝載航空電腦及相關設備。試驗時出動 UAV 由空中進行拍攝與監控，並預期使用小艇回收第二節火箭設備。

火箭順利升空，但是於 2 秒後地面站即與火箭失去聯繫，原因不明。最後靠著火箭上獨立的定位系統傳回的定位資料，僅回收氧化劑儲存槽（壓力容器），其他可能皆已墜毀沉入海中。

2013 HTTP-2β

發射時間 2013.9.23
長　　度　4.9 公尺
直　　徑　20 公分
重　　量　97 公斤
飛行結果：
火箭順利射上接近 10 公里高空，唯通訊狀況不佳。

2014 HTTP-3S

發射時間 2014.3.24
長　　度　6.3 公尺
直　　徑　40 公分
重　　量　320 公斤
飛行結果：
順利發射。通訊資料傳輸最完整的一次。

APPL-mini

🚀 飛行正常

🔄 飛得太高，掉到森林中，無法回收

〔P.S.：此為協助國研院太空中心主辦的 2012 全國高中職太空科技探索營所研發的小型固態糖燃料火箭，為完全不需電力控制的小型火箭。於活動的最後一天，在新竹青青草原舉行學生的實作火箭成果發表。該次活動含講師組共發射了 12 支 APPL-mini 1 小火箭。〕

APPL-mini2

🚀 飛行正常

🔄 正常回收

〔P.S.：此為協助國研究院太空中心主辦的 2013 全國高中職太空科技探索營，研發第二代小型固態糖燃料火箭，為完全不需電力控制的小型火箭。並於活動的最後一天，在新竹青青草原舉行學生的實作火箭成果發表。該次活動含講師組共發射了 11 支 APPL-mini 2 小火箭。該火箭內部還放置了手機進行火箭的飛行資料紀錄與傳輸。〕

APPL-Banan 1

🚀 火箭以直徑 3 公尺的氦氣球攜帶升空，預計要在 1 公里高空釋放，但火箭與氦氣球間的連接繩鬆脫，導致火箭於 30 公尺高半空中墜落。

🔄 直接墜地回收

APPL-7

🚀 飛行正常

🔄 回收系統故障，地面墜毀

APPL-7II

🚀 飛行正常

🔄 正常回收

APPL-8

🚀 飛行正常

🔄 正常回收

APPL-9α

🚀 火箭甫離架就爆炸（爆炸後第二節火箭有點火，並水平前進數公尺）

🔄 地面墜毀

APPL-9β

🚀 第一節正常，第二節未脫節、點火

🔄 正常回收，「80% 成功」

APPL-9c

🚀 飛行正常

🔄 正常回收

〔P.S.：第一節所配置的降落傘未發揮緩速作用，隨後在發射地點不遠處著陸；第二節則依照設定先在高空彈射一張降落傘，抵達較低高度後再彈射另外兩面降落傘，順利達成緩速降落。〕

APPL-mini　APPL-mini2　APPL-Banan 1　APPL-7　APPL-7II　APPL-8　APPL-9α　APPL-9β　APPL-9c

2012.7.26　2013.7.18　2013.9.1　2013.11.9　2013.12.28　2014.1.26　2015.1.4　2015.4.18　2016.1.31

2012　2013　2014　2015　2016

工作大現場

交大實驗室

交大團隊主要負責的是火箭燃料、推進系統與回收系統的研發，因此實驗室裡總是有各種奇妙的物品，包含最先進的 3D 列印機，用來製作火箭零件。還有最居家的裁縫車，用來縫製降落傘，裡面的成員個個身懷絕技。

▍ 交大現場 - 實驗室一景

▍ 交大現場 -3D 列印的小火箭

　　交大團隊在大學校園裡有三間實驗室：位在工程館的 309 實驗室類似辦公室，是學生日常工作和休息的地方。每個人在這兒盯著電腦寫報告、電腦模擬，窗台旁的 3D 列印機不時嗡嗡嗡印製零件，或五顏六色的小火箭模型。

　　其他兩間火箭實驗室位於另一棟建築物，位置較偏遠，旁邊也有草皮和空地可以測試零件。走過貼滿歷代火箭海報的玄關、踏進屋裡，團隊動手實作的兩個空間就分別位在走廊左右兩側。右邊這間門上掛著髒兮兮的實驗衣，降落傘晾完掛在另一面牆上，裡頭雜亂擺滿了零件和機具。這間用來調製燃料藥柱等與化學相關的東西，是屬於危險性比較高一點的實驗空間。

　　另一間空間較大，用來組裝零組件與系統，小型火箭 APPL 就是在這裡誕生的。

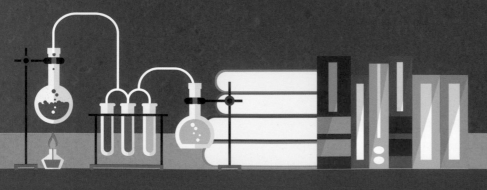

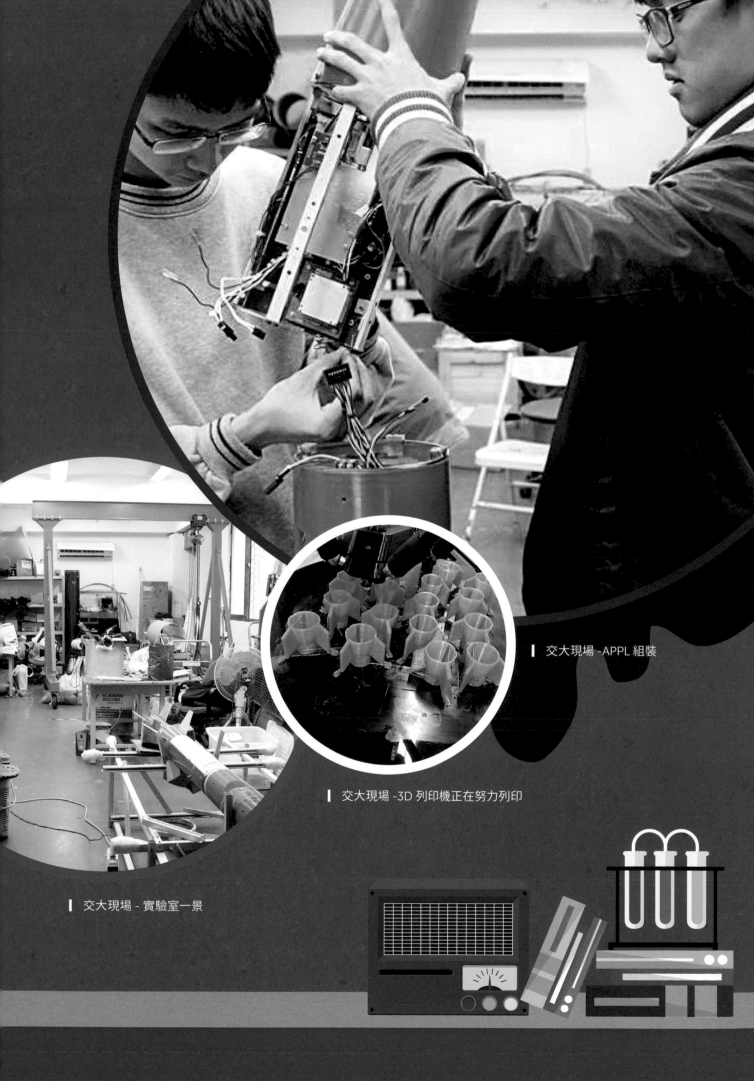

交大現場 -APPL 組裝

交大現場 -3D 列印機正在努力列印

交大現場 - 實驗室一景

測試研發
現場 三

寶山測試場

這裡就像 ARRC 的祕密基地，會冒出大量火花的實驗都在這裡做──「有時候它該噴火的地方會噴火，不該噴火的地方也噴火了！」有一次測試時燃燒艙爆開，螺絲和零件朝四面八方彈射，有好幾個噴嘴彈射到後方池塘裡，連壓力計也掉進去了。

寶山地面推力測試 - 遠觀 (混合式)

寶山地面推力測試 (糖燃料固態推進器)

小火箭推進段的實驗，伴隨著巨大噪音，也具有危險性，必須找個偏僻、人煙稀少的地方進行。其他有噪音或有危險性的小型測試如引擎噴射、笑氣填充都是在寶山這裡做的，而這些實驗通常只要一個下午的時間就夠了。

寶山測試場是吳宗信向朋友租借來的場地，離交大約 20 幾分鐘車程，攀上丘陵、通過一道鐵柵欄、往下蜿蜒兩個陡坡，才能到達這塊空曠的林地，ARRC 自己搭建的小工寮座落其中，四周環繞著樹林、山丘、池塘、廢棄涼亭（以及一大堆蚊蟲⋯⋯）。

到測試場後，人員熟練的將測試台搬出來，將燃燒艙鎖上台子固定好，將笨重的笑氣鋼瓶搬到測試台邊，接好閥門管線。而後人員退到戶外的帳篷下，透過電腦控制裡頭的氣體閥門開關、點火等程序，先口頭排演一次程序：「假裝開啟閥門」、「閥門已開啟」、「假裝點火」、「已點火」

接著正式來，當燃燒艙尾端冒出一陣白煙時，是必須趕快搗住耳朵的前兆！下一秒震天價響的「轟──」噴射聲淹沒山林，這聲音很特別，化學燃燒的嘶嘶聲，飽滿的力量一股作氣爆發，結束後聲波繼續迴盪，嗡嗡餘音罩著耳朵，幾秒後才恢復正常。

寶山地面推力測試（混合式推進器）

寶山地面推力測試準備

71

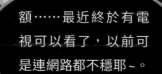

額……最近終於有電視可以看了，以前可是連網路都不穩耶~。

每次來這裡最期待的就是吃飯時間，FB 小編煮的飯很好吃啊~

這裡很好玩呀！春天的晚上可以看螢火蟲，夏天的晚上可以看銀河和星星，秋天和冬天……也是看星星，就像露營一樣。

達仁測試場

達仁地面推力靜試場是目前 ARRC 最大的推力測試場，主要作大火箭 HTTP 的地面測試。由於地面測試會產生巨大噪音，為了避免擾民，在屏科大的協助下好不容易找到一個可以測試的地點，這裡最大可以測試 5000 公斤等級的推力。

73

地面推力靜試場的目的是要測試火箭引擎的推力大小和燃燒時間，藉由量測到的數據，可以分析引擎的實際效率，並以此計算火箭可能的飛行高度，是非常重要的實驗。

由於地點偏遠，從新竹出發到測試場至少要花上 6 小時的車程，因此事前準備要非常周全。除了準備各種實驗設備與實驗流程，後勤的住宿、伙食，交通都要規劃的很詳盡，能迅速完成就盡量迅速完成。

礙於經費，這樣的大型測試雖然重要，卻也沒辦法常常做。每次達仁測試的間隔都很久，到了測試場都要先打掃一番環境，才開始架設「推力測試區」與「實驗監控控制室」的設備。笑氣也是到現場後慢慢灌入的，非常耗費時間。每次測試與實驗都是學生主導，但看到實驗成功，老師總是歡呼的最大聲的那一個。

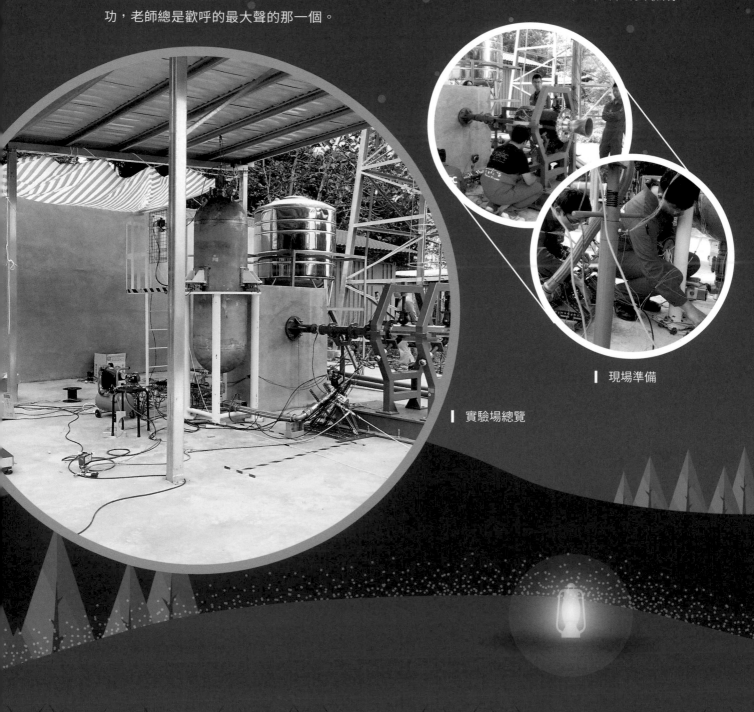

現場準備

實驗場總覽

3500 公斤重地面測試

大家最愛的吃飯時間

測試場監控室

HTTP-3 DVF-3500 公斤地面推進測試

就跟你說雨鞋比較好穿。哈哈哈我打賭贏了！

這就是所謂的實驗精神啊！

臉盆拖鞋

你要換鞋子了嗎？

香山濕地測試

APPL 系列小火箭幾乎都在香山濕地試射，團隊得趁著退潮時進行。濕地非常泥濘，遍佈蚵殼與小螃蟹，採蚵車載著火箭，成員踩著雨鞋、扛著發射架走到離岸約 1 公里處的試射點。

火箭發射前的作業流程繁瑣而嚴謹，在香山濕地的試射現場總指揮要依照近 40 道程序的 SOP（標準作業流程）發布指令，每道指令都有對應的負責成員，完成一個指令後，負責人回報，接著進行下一個。成員們架好發射架、火箭上架、接上「臍帶」（連接火箭與發射架，接收點火指令的電線）、灌氣、確認兩個地面站接收訊號的狀態、為航電上電等，整套流程耗時約 1.5 小時。

　　待一切就緒，全員撤退到發射架後方幾十公尺處，關閉對講機，倒數一分鐘。兩三個成員密切注意周遭環境，沒有突發狀況的話，成員便按下點火器，大夥兒屏息緊盯接下來的發展：火箭可能下一秒直接墜毀爆炸，也可能直衝上天，消失成小黑點後，掛著繽紛的降落傘重新出現在眾人視線——有時候風太大，火箭飄盪到地平線遠處，成員得再涉過大片濕地，拜託當地蚵農幫忙撿火箭。

　　比起順利發射，火箭飛上去後的流程才是團隊關心的重點，例如飛行姿態、航電系統運作是否正常、資料有沒有傳輸到地面……這是火箭能否完成太空任務的關鍵。

　　團隊成員對於試射內心的感受很兩極，試射火箭代表得勞累好一陣子，但每次都很期待測試的新東西能成功。就算再怎麼資深，發射前五分鐘還是會緊張，腦中的跑馬燈閃過各種可能的失敗狀況。成功的話就興奮一下下，繼續工作；面對失敗則從中提煉知識和經驗，「至少要學到一點什麼。」

▌香山濕地試射現場

成員拉著架設火箭的發射架穿越泥濘的濕地

北科大和成大現場
宜蘭山上涼亭、關子嶺

HTTP 火箭發射任務中,地面站能否收到火箭即時傳回的飛行數據是最重要的!因為團隊事後全靠這些資訊分析任務是否成功、日後如何改進。這重任由航電與通訊系統負責,雙方人馬除了在實驗室計算數據,也必須一起到野外測試。

雙方分成「山上組」和「山下組」,人數各 3~4 人,前者為發射訊號的一方,後者為接收端。

宜蘭測試：山上組

航電與通訊系統負責的團隊，每次會選不同的地點測試。HTTP-1 任務時，測試地點在宜蘭，團隊必須前一天在交大集合，調整因為太久沒碰而跑掉的參數，接著當晚到台北借住成員家裡，隔天一早出發到宜蘭。山上組在一處涼亭架設通訊與航電設備，「可以把山上組視為一架火箭。」山下組則帶著一根天線，開車沿著東海岸跑，分別在離山上組 5、10、15、20 公里距離處，尋找可以看到涼亭方向、遮蔽物少的地點，這些地點可能是公路旁、橋梁上或田中央。

山下組到定點後，便連絡涼亭裡的成員發送訊號，仿照火箭飛行時間，連續發送訊號 30 秒，傳輸不同資訊，接著前往下個地點重複同樣步驟。事後再比對接收端天線收到的資訊是否與預計發出的資訊有落差。

測試時間相當漫長，大概要晚上七八點才收工，主要是等待山下組車程和找點，或山上組的設備測到沒電了要重新充電（充電到足以進行測試的程度至少要幾十分鐘），有時電線壞了要重新焊接。遇到下雨就很麻煩，要手忙腳亂的把器材收好，而且雨會干擾通訊傳輸，得暫停實驗。

宜蘭測試：山下組開車接收訊號

關子嶺測試：山下組

關子嶺測試：山上組

　　HTTP-2α 之後，團隊就改到台南關子嶺測試，山上組在碧雲寺的廟前廣場，山下組一樣四處跑。改到關子嶺後，一切省時又方便，有穩定的電源可以用，也不愁沒午餐，等充電時還有許多民眾會前來攀談聊天。

　　這兩個團隊的測試，上山下海、東奔西跑，還要應付許多突發狀況，非常勞累。幸好，準備每次任務的期間像這樣的野外測試一次就夠了，日後發射前只要核對、校正系統參數即可，若硬體零件有更動，或是測試不順，雙方團隊才會再到野外測一次。

HTTP-3S 發射前操作演練

每支火箭發射前一定要全程演練一次，了解整個準備過程會花多少時間、當中會碰到什麼問題等。尤其是 HTTP-3S，ARRC 首度發射這麼大的火箭，要更謹慎，HTTP-3S 就在高雄一間協助製作發射架的鐵工場裡進行演練。

HTTP-3S，是 ARRC 首度發射這麼大的火箭。演練的過程中果然碰到不少問題，尤其這時候距離預定的發射日只剩一星期，大家更是戰戰兢兢。最慘的是發射架原本運作如常，搭載了火箭後，升上去就下不來了。原訂下午結束的演練行程，延遲到半夜 12 點才完成。但是當大家第一次看到這麼大型的火箭架到發射架上時，還是超級亢奮。

　　通常火箭不會在晚上發射，那天多虧了好天氣，大家難得看到火箭在晴朗夜色中豎立起來的樣子，旁邊還有一輪滿月陪襯，場景簡直像經典的太空照。那一刻大家都興奮極了，拼命拍照，即便因為燈光昏暗，都拍不好，還是不死心的拼命拍照，畢竟大家的心血終於豎立起來了啊！

▎演練準備現場

▎中午休息時一致的午睡姿勢

搭配滿月的火箭

HTTP-3S 發射準備

旭海大火箭試射地

發射現場

組裝演練完畢之後,終於迎來了最終發射的日子,從新竹到屏東旭海的發射地,車程足足 8 小時。團隊試射大火箭 HTTP 的地點,鄰近阿朗壹古道與九鵬軍事基地,依山傍海。成員們在這裡頂著狂風,從黎明到薄暮進行一連串工作:整地、豎立發射架、組裝火箭、上架、測試系統、灌燃料、航電聯測等等,直到最後發射火箭。雖然發射只是短短幾分鐘的事情,但整個發射準備過程,卻足足花了三四天才完成。成員們在試射地一步一步的組裝起火箭,也一步一步地朝夢想前進,最後為火箭別上幸運物,在火箭上放上所有人的心願!

整地和豎立發射架是最先要搞定的工作，屏科大成員比其他團隊早了四天到旭海，用水泥塊在凹凸不平的海邊鋪出一塊平整的地板，接著就地銲接、組裝那雙塔式的白色發射架。發射 HTTP-3S 時剛好遇到鋒面，旭海鎮日颳著強風，為避免強風或其他因素導致發射架升起未達指定位置，兩個學生扣上安全索，爬上六公尺高的發射架，檢查安全設備與定位裝置。

　　其他各組人員一到民宿基地，井然有序的各司其職，房舍外的走廊散布好幾箱機械，桌上五六台電腦同時運作，一旁成員正調整控制火箭馬達轉動角度的編碼器。原本是烤肉區的空地放著火箭中間部分，靜待成員把白色字樣完整噴上橘色箭身，最後完工的火箭上漆著「HTTP」、「ARRC」、「前瞻火箭」，客語及台語羅馬拼音的「火箭」字樣（Fo'-Chien；Hoe-Chiⁿ）。

　　火箭前端尖頭部分稱為鼻錐，是放酬載（執行科學探測任務的儀器）的地方。此次 HTTP 火箭多了乘客──「罐頭衛星（CanSat）」。中央大學太空科學研究所助理教授張起維率領學生自製罐頭衛星，此次搭載的「阿亮二號」測試高空訊號收發，內建的 GPS 也可協助火箭回收。

▌ HTTP-3S 發射前合照

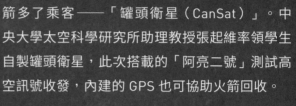

▌ HTTP-3S 發射準備

▌ HTTP-3S 發射準備

▌ HTTP-3S 發射準備

小知識：酬載（payload）

太空飛行體中除了運行所需的必要儀器外，仍有空間搭載的儀器設備。火箭的酬載可能是人造衛星、太空船；若是太空旅行，酬載就是人。

組裝火箭一點都不簡單。除了細心確認感測系統、航電系統、推進力系統等環環相扣的零組件在組合後是否仍正常運作、有效接收指令，也須準確掌握周圍環境狀況，這次的大風就是個不利因素。在其他人忙著組裝火箭的同時，中央大學小組則在一旁用探空氣球與經緯儀測風速，若風速大於每秒十公尺，一些活動便必須暫停。

另外，基於安全因素，火箭的儲存槽盡量別長時間承受壓力，為火箭灌入笑氣的時程必須由發射時間往回推，如果在清晨發射，灌氣時機就定在前一天傍晚。這時大家會退到離火箭二三十公尺遠的空地邊界，席地圍坐著吃便當，一邊監看電腦螢幕轉播灌氣過程。笑氣從鋼瓶流入火箭中的壓力容器，電子計監測著鋼瓶重量，紅色數字跳動著，當重量減輕 20 公斤後，就表示鋼瓶內的笑氣已空，該換另一瓶了。如此換了五瓶，一般大約需要耗時兩到三個小時才能完成灌氣程序。

要監控火箭的「健康狀況」可以透過天線無線傳輸，或以線路連接火箭與航架，那線路被貼切的暱稱為「臍帶」（umbilical cord），在準備過程中，載具與發射台透過臍帶溝通傳輸各式電子訊號，接收到最後一道發射指令後，火箭將會脫離發射架一飛衝天。

做完最後一次航電聯測，確認所有零組件運作正常，接上點火器。發射架搭載著火箭緩緩升起，13 公尺的發射塔轟立在清晨陽光下，吊車將一塊 0.7 公分厚，避免火焰直接燒到桁架的「導焰板」置於火箭下方，一切蓄勢待發，終於來到正式發射這一刻！

方圓 300 公尺內人員淨空，只留下團隊執行主要任務的成員，觀摩火箭發射的群眾必須在離火箭 500 公尺以上的距離觀看。成員們則分五處通訊站駐守，在地面上離火箭發射點約 50 公尺處的涼亭設有一通訊站、安檢所的頂樓與地面各一站、試射處直線距離 1 公里與 4 公里處左右各有一站，同時接收火箭傳下的訊息，比對通訊狀況。大家戴上安全帽、護目鏡、耳罩或耳塞，將手機設為飛航模式，無線電也關閉，悄聲倒數。

「十、九、八……四、三、二、一！」長 6.3 公尺、直徑 40 公分、重 300 公斤的單節火箭 HTTP-3S 尾端冒出滾滾白煙，隨即噴出橘黃色火焰，在一聲厚實的長嘯與群眾驚呼中，火箭拖著長長尾雲，藉 1000 公斤重的推力逆風往東北破空而去，幾秒內就消失為遠方天際的一個小點。ARRC 成員和老師們終於卸下幾天來的緊繃態度，笑著大吼大叫。

不過，短暫沉浸於成功發射的狂歡後，又開始忙著檢查火箭飛行時回傳的資訊狀況了。火箭的速度非常快，沒幾秒鐘肉眼就看不到了，如果天氣不夠好，火箭飛到雲層以上，就算用望遠鏡也很難看到火箭。這時候銘傳大學團隊負責的「即時顯示系統」就非常重要。在飛行過程中，火箭上的感測器會量測火箭的姿態、GPS、轉動速度以及火箭目前正在執行的動作等等，並透過通訊系統，將飛行數據傳回地面接收站。讓大家知道火箭的狀況，還有火箭可能落下的地點，以便進行回收，只可惜這次的試射因為風浪太大而無法進行回收。

一次的試射，ARRC 全部會動用到三四十個成員，他們不一定彼此熟識，但都為了同一個目標努力著。在發射現場，通常由學生主導，老師們旁觀，偶爾才提點一下，確認細節。對團隊成員而言，成功發射意味著下一個里程碑的開始！

結語

一起飛向太空！
火箭工程的願景

　　台灣有探空火箭，這種火箭載著儀器到太空蒐集科學資訊，隨即返回地面，全程只有十幾分鐘左右，能蒐集的資訊有限。衛星則能在地球上空繞行好幾年，不過，要載送衛星進入繞行地球的軌道，需要推力更大的火箭，台灣還沒有這種大型火箭，每當有自己的衛星要升空（如福爾摩沙衛星系列），都必須委託外國火箭公司發射。

　　ARRC 的最終目的，就是打造出可以載送衛星入軌的火箭，讓台灣也擁有自主發射的能力！

　　雖然常聽到「科學無國界」，但太空科技容易與軍事用途掛勾，各國大多不願分享技術細節，許多國家還會限制出口火箭或衛星的關鍵零組件，加上台灣特殊的政治情勢，往往難以取得，自力研發就能掌握技術。

未來趨勢——微衛星和立方衛星

人造衛星有很多種，ARRC 火箭的目標乘客是 100 公斤左右的「微衛星」！

國際上將衛星依重量分類：

（資料來源：太空中心）

重量	衛星類別	例子
0.01~0.1 公斤	費米衛星	Wikisat 衛星（0.02 公斤）
0.1~1 公斤	皮米衛星	番薯號衛星（0.857 公斤）
1~10 公斤	奈米衛星	Flock-1 衛星（5 公斤）
10~100 公斤	微衛星	福爾摩沙衛星三號（由六顆微衛星組成一個星系 (Constellation)，每顆 62 公斤）
100~500 公斤	小衛星	福爾摩沙衛星一號（401 公斤）
500~1000 公斤	中衛星	福爾摩沙衛星二號（758 公斤）
大於 1000 公斤	大衛星	國際太空站 (ISS)（~450000 公斤）

　　目前地球軌道上有幾千枚人造衛星，自第一顆人造衛星問世以來，衛星愈來愈複雜、昂貴、設計耗時，要發射一顆衛星動輒得花新台幣幾十億（含衛星製造與火箭發射成本），幾乎得傾國家之力，執行重要的衛星任務才能達成。

　　不過，隨著科技的進步，人造衛星已經可以大幅縮小。過去大部份衛星皆運行在 300~1400 公里的地球低軌道（Low Earth Orbit; LEO），最近出現衛星在 100~300 公里的超低地球軌道運行（Very Low Earth Orbit; VLEO）。這有許多優點：繞地球一圈的時間更短，可以拍更多地球影像；

同樣地面影像解析度需要的光學鏡片較小、資料傳輸的電力較少，製作難度也較低。但衛星身上需要小推進器，幫助克服非常稀薄的空氣阻力，以維持在固定軌道高度運行。

多顆微衛星還可以連結為「星系（Constellation）」，衛星彼此合作，執行觀測或通訊任務。比微衛星更小巧的「立方衛星」（CubeSat）近年愈來愈受歡迎，立方衛星大約 1~10 公斤，每個單元（1U）長寬高各只有 10 公分，可以多個單元組成一顆完整的立方衛星，體積像個玩具盒，其研發初衷便是希望獲得更多機會發射衛星。

以前使用衛星是少數科學家的「特權」，現在立方衛星的成本低廉、研發時間可以短至一年、有興趣的人都可以自己做衛星，進行科學實驗。NASA 也曾發起競賽，讓獲選的立方衛星搭 NASA 太空任務的火箭便車發射升空，將立方衛星送上月球軌道。

發射的費用牽涉到衛星的尺寸、重量以及需要多大的火箭推進力，微衛星縮小到幾十公斤，發射成本就能降低幾十倍至上百倍。不過，衛星的成本降低了，相應的中小型火箭還很少，現在火箭主要運送大型衛星，發射成本仍相當高昂，小型衛星得等大衛星的發射機會才能「搭便車」一起升空，也無法任意選擇高度。

吳宗信認為，未來一百公斤以下的微衛星會成為主流，通訊、農業、環境監測，甚至商業投資，衛星都是得力助手。ARRC 的目標與 Space X 類似，希望打造出低成本的火箭，彌補小型衛星的發射需求，讓探觸太空成為大眾普及的活動。

太空科技與日常生活

不少人對太空計畫的印象是「超級花錢」，但從另一個角度看，為了應付太空的嚴峻環境，太空科技綜合各領域知識，將技術推到極致，算是科技的「火車頭產業」，生活中有不少日常用品其實都得利於曾經「遠在天邊」的太空科技。

太空總署的科學家們從星體散發出的紅外線，估測該星球的「體溫」，同樣原理拿來量測人體耳鼓散發的微小能量，就變成了耳溫槍；行經寒冷高空或冰雪國度時，飛機結冰會導致失控，必須加溫必要管線和機翼前緣，這「除冰系統」也來自太空科技。

太空船上減輕太空人衝擊力道的「記憶海綿」，被廣泛作成床墊和枕頭，給許多人晚上一覺好眠；輕便的手持無線吸塵器是清潔屋子的好幫手，幾十年前，它是阿波羅任務的太空人用來蒐集月球岩石的工具；營養均衡對長途太空旅行很重要，NASA 贊助研究中，一種提取自藻類的成分已普遍添加於美國 90% 的嬰兒食品中。

人類不易深度探索的崇山峻嶺、熱帶雨林、湖泊海洋，都靠衛星辦到，衛星空照圖不僅可大範圍探勘地表，記錄地貌變化，也常在災難之後拍攝即時影像，協助政府擬定應變計畫；打開氣象預報，就會看到衛星拍的雲圖，天氣預報所需要的觀測資料也靠衛星蒐集而來。

太空看似遙遠，數千種延伸應用早已深入人們生活。這些技術雖非直接來自火箭，但火箭是讓這些科技成真的關鍵力量，算是「帶領大家奔向理想」的角色。太空計畫的企圖心極其強烈，視野遠到地球之外，這股鼓舞人心的力量也是太空科技的特色。

當別人問起為什麼要做火箭，吳宗信總會提到，台灣只著重發展代工產業，幫國際科技大廠製造產品的零組件，但不能這樣長久下去，「學會做『系統』才是國家科技進步的動力！」以後是太空經濟的時代，台灣先天環境適合發射微衛星，技術能力也夠，ARRC 要當開路先鋒。

「一個人作夢只是空想，一群人作夢，夢想就會實現。」吳宗信說：「阮要離開地球就對了！」

耀眼的太空橘團隊

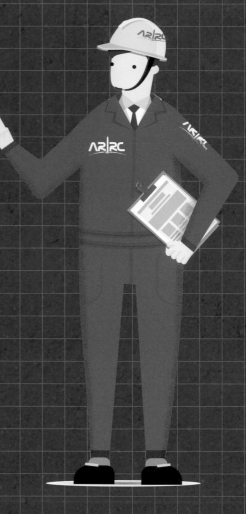

　　ARRC 全員穿上橘色的連身工作服，與工地安全帽、火箭、發射架、工作帳篷的設計搭配成套，帥氣與識別度兼具，也令人聯想同樣講述太空夢的漫畫《宇宙兄弟》。ARRC 的整體品牌相當突出，這一系列團隊標誌與視覺設計，全由退休航太結構工程師蘇芝萌一手打造。

　　蘇芝萌 1995 年撰寫了台語與客語的文書軟體，當時吳宗信與友人推動「5% 台譯計畫」，每個人每月捐 5% 的時間或薪水，將《動物農莊》等世界名著翻成漢字或羅馬字拼音的台文和客語文，就是用蘇芝萌寫的軟體，兩人因此結識。「2008 年我聽他要作火箭，馬上拍胸脯跟他說，我包下你們團隊的品牌設計！」只是當時吳宗信想低調一點，直到 2013，ARRC 團隊成形後才又拜託他。

　　蘇芝萌對許多領域都有興趣，品牌是其中之一。「品牌也是一種科學。」他說，建立品牌，最重要的是關鍵字，名字要簡潔酷炫！

　　此外，必須嚴格要求規格一致，這表現在許多細節。工作用品的頭盔、工作服、帳篷、火箭與桁架要統一用橘色與白色搭配，市面上沒有橘色帳篷，蘇芝萌就自己找廠商裁剪橘色布料、貼上「ARRC」字樣後套上帳篷；成員要出席展覽，蘇芝萌都會寫一份穿著的規格書，建議成員遵守，讓每個積累起來的品牌印象整齊一致。

　　蘇芝萌也自認很龜毛，像電腦模擬畫面中，字幕大小寫不統一、模擬火箭身上「ARRC」不是設計字體（而是電腦內建的黑體之類），他就會立刻寫修正意見；而在發射現場，他也會將垃圾、雜物移開，以免鏡頭拍攝到，干擾影像畫面的整齊美感。

　　火箭箭身漆上客語及台語羅馬拼音的「火箭」字樣（Foˋ-Chien；Hoe-Chiⁿ）也出自他的堅持。品牌要求「原味」，如果沒有自己的名字、自身語言的表述方式，「這族群根本不存在，遑論品牌。」

一起離開地球上太空！
——ARRC自製火箭

作者	劉珈均、魏世昕、ARRC前瞻火箭研究中心
資訊圖表設計	RE-LAB
漫畫創作	好面（iimAn）/ 友善文創
內頁插畫	陳宛昀
責任編輯	周彥彤、呂育修
美術設計	東喜設計

發行人	殷允芃
創辦人兼執行長	何琦瑜
總經理	王玉鳳
副總監	張文婷
主編	林欣靜
版權專員	何晨瑋

出版者	親子天下股份有限公司
地址	台北市104建國北路一段96號11樓
電話	(02) 2509-2800　　傳真 (02) 2509-2462
網址	www.parenting.com.tw
讀者服務專線	(02) 2662-0332　週一～週五：09:00~17:30
讀者服務傳真	(02) 2662-6048
客服信箱	bill@service.cw.com.tw
法律顧問	瀛睿兩岸暨創新顧問公司
總經銷	大和圖書有限公司　電話：(02) 8990-2588

出版日期	2016年9月第一版第一次印行
	2018年7月第一版第二次印行
定價	420元
書號	BKKKC054P
ISBN	978-986-93545-5-4（精裝）

本出版品獲文化部補助發行　 文化部 MINISTRY OF CULTURE

訂購服務

親子天下Shopping	shopping.parenting.com.tw
海外‧大量訂購	parenting@service.cw.com.tw
書香花園	台北市建國北路二段6巷11號
	電話 (02) 2506-1635
劃撥帳號	50331356 親子天下股份有限公司

親子天下 Education‧Parenting Family Lifestyle
www.parenting.com.tw

國家圖書出版品預行編目 (CIP) 資料

科學築夢大現場.1：一起離開地球上太空！：ARRC自製火箭 / 劉珈均, 魏世昕, ARRC前瞻火箭研究中心作. -- 第一版. -- 臺北市：親子天下, 2016.09
　面；　公分
　ISBN 978-986-93545-5-4（精裝）
　1.科學 2.火箭 3.通俗作品

307.9　　　　　　　　　　105016101

作繪者介紹

作者
劉珈均

畢業於政治大學傳播學程，嚮往上山下海跑新聞。因緣際會跟訪ARRC團隊後，就不想離開科學新聞了。生活總是在熬夜，不是趕稿就是在屋頂看星星，一邊想像是否有外星人也朝著地球方向看過來。

作者
魏世昕

沒日沒夜小瘋狂，前瞻火箭研究中心研究生一魏世昕。從小喜歡動手做，可惜沒環境，對飛機、火箭從小就有很大的興趣。因為沒考上成大航太，陰錯陽差來到了交大土木，後來轉系，運氣又很好地搭上了吳宗信教授想製作火箭的順風車，從此踏上了不歸路。至今研發火箭已將近9年，人生的1/3都在做火箭，看過無數次的失敗和少數的成功。雖然很累，但是他仍認為，「能夠做自己有興趣的事真的很幸運」

插畫
陳宛昀

插畫及平面設計工作者，插畫作品常見於雜誌、書籍與商業設計中。和兩隻貓、一隻狗及家人一起生活在高雄。

漫畫
好面（iimAn）

個人主要作品為與惟丞老師合作，自遊戲改編漫畫的《機甲英雄FIGHT!》。擔任過2013年台灣漫畫博覽會主視覺設計繪師。2014年與2015年連續受到SCET指定擔任《PSVita TV》與《ENJOY PS Plus!!》廣宣主題漫畫的製作。2015年接受親子天下委託，與彭傑一同製作科普漫畫《超科少年SSJ》。以前念書時科學相關的成績不佳，現在卻開始畫科學漫畫，不過也因此學習了不少，或許這也算是某種轉型正義（？）